100
MENÚS
de temporada

KARLOS ARGUIÑANO

100 MENÚS

de temporada

ASEGARCE
DEBATE

Primera edición: marzo 1998.
Segunda edición: abril 1998.

Edición: Editorial Debate, S. A. y Asegarce, S. A.
Texto: Karlos Arguiñano
Fotografías: Mikel Alonso
Cubierta: Editorial Debate, S. A.
Diseño de interior: Editorial Debate, S. A.
Fotocomposición y fotomecánica: Alef de Bronce C.P.G., S. A.

ISBN: 84-8306-080-9
Depósito legal: M-6.344-1998
Impreso en Alef de Bronce C.P.G., S. A.
Impreso en España *(Printed in Spain)*

PRÓLOGO

Lo primero que aprendí sobre cocina me lo enseñó José Castillo, gran persona y cocinero. De sus muchos consejos, hay uno que me inspiró a la hora de hacer este libro. Su recomendación era: «Si quieres comer variado, barato y sano, cocina los productos según temporada. Sigue el calendario natural y dispondrás de los mejores productos a buen precio y en su mejor momento.»

Todos los días me gusta darme una vuelta por el mercado para contemplar los productos frescos. Allí, comentando con las vendedoras las excelencias de los productos es cuando surgen los menús. Nunca pienso que voy a poner para comer hasta que estoy en el mercado. Sin querer, como por arte de magia, va surgiendo el menú de cada día. Unos guisantes tiernos y verdes, unas patatas nuevas, unas sardinas brillantes y tersas o unos salmonetes fresquísimos. Estos pueden ser los ingredientes de un menú, excelente por cierto, que cualquier día surge al visitar el mercado.

Hoy en día, debido a las diferentes ocupaciones, mucha gente no se puede permitir visitar el mercado a diario. Para facilitaros la compra y saber lo que se puede comprar según la estación del año en la que nos encontremos, he seleccionado en este libro veinticinco menús diferentes por temporada. Fijándome más en el producto e intentando que sea un menú variado y equilibrado.

Como siempre, os recuerdo que esto es orientativo, que podéis hacer las variaciones según vuestros gustos y lo que en ese momento encontréis en el mercado. Espero que este libro os sea de tanta utilidad como los sabios consejos que a mí me dio José Castillo. Que, por cierto, solía decir que lo más importante en la cocina es el cariño.

Karlos Arguiñano
Zarautz, febrero de 1998

SUMARIO

VERANO

OTOÑO

INVIERNO

Primavera

MENÚ 1

Primer plato

Rollitos de verduras

Segundo plato

Congrio a la sidra con habitas

Postre

Soufflé de queso

INGREDIENTES (4 p.): • 250 g de hojaldre • 2 o 3 zanahorias • 300 g de judías verdes • 100 g de guisantes desgranados • 12 espárragos trigueros • huevo batido • sal y agua • crema de judías verdes. PARA LA VELOUTÉ: • el caldo de cocción de las verduras • 1 cuch. de harina • aceite de oliva • una pizca de orégano y sal.

ELABORACIÓN

Comienza cociendo las verduras limpias y troceadas: vainas, zanahorias, guisantes y 8 puntas de espárragos. Deja cocer en agua con un poco de sal entre 12 y 15 minutos. Aparte, haz una velouté espesa rehogando una cucharada de harina en aceite, añade una pizca de orégano, otra de sal y el caldo poco a poco, sin dejar de remover. Seguidamente, incorpora las verduras, escurridas y mézclalo todo bien. Pon a punto de sal y deja que enfríe.

Estira el hojaldre y pártelo en cuadrados. Coloca parte del relleno en cada cuadrado y envuélvelo haciendo un rollo. Cierra los bordes y unta con huevo batido. Adorna los rollos con trocitos de hojaldre y píntalos todos con huevo batido. Colócalos en una placa de horno y hornea a 170 grados durante 18-20 minutos aproximadamente.

Sirve los rollitos de hojaldre en una fuente con el fondo cubierto con crema de judías verdes caliente. Decora con las puntas de espárragos sobrantes.

TIEMPO DE ELABORACIÓN: 40-50 MINUTOS

INGREDIENTES (4 p.): • 1 kg de congrio (en rodajas) • 2 cebollas • 1 tomate • 200 g de habas frescas cocidas • 4 dientes de ajo • $^{1}/_{2}$ guindilla seca • 2 cucharaditas de harina • 1 vaso hermoso de sidra • perejil picado • aceite, sal y pimienta.

ELABORACIÓN

Sofríe la cebolla picada en una tartera con aceite. Añade también el tomate picado. Sazona, agrega la guindilla picante y deja pochar unos minutos. A continuación, incorpora las rodajas de congrio salpimentadas y dóralas con la verdura. Echa la harina y rehoga. Vierte la sidra (y medio vaso de agua si es necesario) y añade las habas. Espolvorea con perejil. Guísalo 6 minutos y sirve.

INGREDIENTES (6-8 p.): • 3 yemas y 5 claras de huevo • 1 vaso de leche • 2 cuch. de harina • 2 cuch. de harina de maíz refinada • 200 g de queso cremoso (de untar) • 2 cuch. de azúcar • mantequilla y harina para untar el molde.

ELABORACIÓN

En un cazo, mezcla con una varilla los dos tipos de harina y la leche. Una vez bien mezclado, caliéntalo hasta que espese. Añade el queso y sigue removiendo para que éste se disuelva. Una vez que ligue, tardará alrededor de 2 minutos, retira del fuego y deja enfriar. Añade entonces las yemas, vuelve a mezclar y echa este preparado sobre las claras montadas a punto de nieve con el azúcar. Mezcla nuevamente, esta vez con cuidado para que quede esponjoso.

Vierte en moldes untados con mantequilla y enharinados, rellenando sus $^3/_4$ partes y hornea a 175 grados durante 20-25 minutos (30-40 minutos si el molde es grande). Sirve.

TIEMPO DE ELABORACIÓN: 50-60 MINUTOS

MENÚ 2

Primer plato

Sopa de verduras con pollo

Segundo plato

Hígado al jerez

Postre

Fritos dulces

INGREDIENTES (4 p.): • 2 zanahorias • 1 penca de acelga • 1 cebolleta • 200 g de guisantes • 1 puerro • 1 patata • 150 g de judías verdes • 1 pechuga de pollo • 2 huevos cocidos • perejil picado • 1,5 l de agua • 4 costrones de pan frito • aceite y sal.

ELABORACIÓN

Limpia y pica fino todas las verduras y hortalizas.

En una cazuela con un chorrito de aceite, rehoga esta verdura. Sazona y vierte el agua. Introduce también la pechuga limpia y deja cocer 15 minutos. Saca la pechuga y cuece otros 5 minutos más la verdura.

Pela y pica los huevos cocidos. Pica también la pechuga.

Añádeselo todo a la sopa.

Sirve con los costrones de pan y espolvoreado con perejil.

TIEMPO DE ELABORACIÓN: 30 MINUTOS

INGREDIENTES (4 p.): • 800 g de hígado de ternera • 1 cebolla y 1 cebolleta • 1 pimiento verde • 1 cuch. de harina • 1 diente de ajo • $^1/_2$ vaso de jerez • $^1/_2$ vaso de agua • 2 patatas • perejil picado • aceite • sal y unos granos de pimienta.

ELABORACIÓN

Pica finamente las cebollas, el pimiento y el ajo. Póchalo bien en una cazuela con aceite. Sazona y añade unos granos de pimienta. Después, agrega la harina y rehoga. Incorpora el hígado troceado en tacos y sazonado. Una vez rehogado, vierte el jerez y un poco de agua y espolvorea con perejil picado. Deja que todo cueza unos 15 minutos aproximadamente.

Mientras tanto, pela, corta las patatas en dados y fríelas en aceite caliente.

Añade las patatas fritas, espolvorea con perejil, dale un último hervor y sirve.

TIEMPO DE ELABORACIÓN: 25-30 MINUTOS

INGREDIENTES (4 p.): • $^1/_2$ barra de pan del día anterior • 2 o 3 huevos • 1 l de leche (aprox.) • 8 cuch. grandes de azúcar • 1 cuch. de canela • aceite • 1 vaso de agua. **PARA DECORAR:** • nata montada y unas hojitas de menta.

ELABORACIÓN

Remoja el pan desmigado en la leche y cuando esté bien empapado, agrega los huevos mezclándolo todo bien. Si la masa queda demasiado blanda, añádele más pan duro.

En una sarten con aceite caliente, fríe montoncitos de la masa hasta que se doren, dándoles la vuelta para que se hagan bien por todos los lados.

En una cazuela aparte, tuesta el azúcar y después agrégale el agua y la canela.

Por último, incorpora los fritos y deja que cuezan a fuego lento durante unos minutos hasta que estén tiernos.

Sírvelos en cuencos acompañados con el caramelo, un poco de nata montada y unas hojitas de menta.

TIEMPO DE ELABORACIÓN: 25-30 MINUTOS

MENÚ 3

Primer plato

Crema de acelgas con piñones

Segundo plato

Verdel con guisantes

Postre

Tarta de fresas y frutos secos

INGREDIENTES (4 p.): • 1 kg de acelgas • 2 patatas • 3 zanahorias • 150 g de bacon • un puñado de piñones • harina y huevo batido • aceite, agua y sal.

ELABORACIÓN

En una cazuela con agua hirviendo, con un chorro de aceite y sal, pon a cocer las pencas (blanco de las acelgas), bien limpias, troceadas y sin hilos durante 20 minutos. Escurre y reserva.

En otra cazuela con agua hirviendo y un chorro de aceite y sal, pon las acelgas, bien limpias, junto con las patatas peladas y troceadas y las zanahorias, también limpias. Deja cocer durante 20 minutos y tritúralo todo con la batidora reservando las zanahorias cocidas. Si quieres una crema más fina, pásalo por un chino.

Pasa las pencas por harina y huevo batido y fríelas en una sartén con un poco de aceite.

Extiende la crema en el fondo de una fuente. Coloca encima las pencas. Por último, añade en el centro un salteado hecho con bacon muy picado, las zanahorias que habías reservado en rodajas y los piñones. Sirve.

TIEMPO DE ELABORACIÓN: 45-50 MINUTOS

INGREDIENTES (4 p.): • 2 verdeles hermosos • 2 tomates maduros • 1 cebolleta • 1 cuch. de harina • 300 g de guisantes desgranados • 3 dientes de ajo • perejil picado • aceite, agua y sal.

ELABORACIÓN

Limpia los verdeles y córtalos en rodajas hermosas.

En una cazuela con agua hirviendo con sal, blanquea los guisantes durante 5 minutos. Escurre y reserva también el caldo.

En una sartén con aceite, pon a pochar la cebolleta muy picada, añade también los ajos pelados y en láminas, rehoga e incorpora los tomates troceados. Deja hacer unos minutos hasta que termine de pocharse. Agrega la harina, rehoga y a continuación, los guisantes. Moja con un vaso del caldo de cocción y mézclalo todo bien. Introduce las rodajas de verdel sazonadas y déjalas hacer 2 o 3 minutos por cada lado. Espolvorea con perejil picado y sirve.

TIEMPO DE ELABORACIÓN: 25-30 MINUTOS

INGREDIENTES (6-8 p.): • Varios bizcochitos pequeños de soletilla • jarabe (azúcar y agua) • un chorrito de licor • 100 g de frutos secos tostados (nueces, avellanas, piñones...) • $^1/_2$ l de nata montada con azúcar • $^1/_2$ kg de fresas • 4 cuch. de leche condensada.

ELABORACIÓN

Forra el fondo de un molde con los bizcochitos de soletilla. Después, mójalos bien con el jarabe y el licor. Coloca encima los frutos secos, tostados y molidos (reservando algún piñón para decorar). Tapa con nata montada y coloca encima otra capa de bizcocho. Mójala también con el jarabe y añade la leche condensada. Cúbrelo todo con nata montada y, por último, decora poniendo las fresas por encima y espolvoreando con unos piñones tostados.

TIEMPO DE ELABORACIÓN: 25-30 MINUTOS

MENÚ 4

Primer plato

Croquetas
de verdura

Segundo plato

Berenjenas con
carne y verduras

Postre

Melocotones
rellenos

INGREDIENTES (4 p.): • $^1/_2$ kg de patatas cocidas • 200 g de zanahorias cocidas • 200 g de guisantes desgranados y cocidos • 2 huevos • harina y huevo batido • 2 cuch. de pan rallado • aceite de oliva • sal y pimienta. PARA LA CREMA DE ESPINACAS: • 100 g de espinacas • 1 patata • aceite, agua y sal.

ELABORACIÓN

Trocea y tritura con el pasapuré las verduras cocidas hasta conseguir un puré muy espeso. Agrega los huevos a la pasta (si te queda demasiado ligera, añade pan rallado). Salpimenta y mézclalo todo bien.

Prepara una crema de espinacas cociéndolas con las patatas troceadas en una cazuela con agua, sal y un chorro de aceite durante 15 minutos. Tritúralo con una batidora.

Da forma a las croquetas, pásalas por harina y huevo batido y fríelas en aceite hasta dorarlas.

Sírvelas bien escurridas de aceite, en una fuente con el fondo cubierto con crema de espinacas caliente.

TIEMPO DE ELABORACIÓN: 25-30 MINUTOS

INGREDIENTES (4 p.): • 2 berenjenas • 300 g de carne picada o cortada a cuchillo • $^1/_2$ calabacín • $^1/_2$ cebolla • 1 pimiento verde • 2 dientes de ajo • 8 lonchas de queso de fundir • 4 cuch. de salsa de tomate • una pizca de orégano • aceite • sal y pimienta.

ELABORACIÓN

Abre las berenjenas por la mitad, da unos cortes a la carne con la punta de un cuchillo, sazónalas y añade un chorro de aceite. Hornéalas durante 12-15 minutos a 180 grados.

Saca la carne de las berenjenas y reserva. Reserva también la piel.

En una sartén con aceite, pon a pochar la cebolla y el pimiento verde bien picados. Añade los ajos en láminas. Incorpora también el calabacín en dados (si es muy tierno, con piel).

Una vez que la verdura esté bien pochada, añade la carne salpimentada y saltéala unos minutos.

A continuación, agrega la carne de las berenjenas. Echa una cucharada de salsa de tomate en las mitades vacías de las berenjenas y rellénalas con el salteado de carne y verduras. Cubre con las lonchas de queso de nata y gratínalas durante 1 minuto.

Sirve estas berenjenas espolvoreadas con orégano.

TIEMPO DE ELABORACIÓN: 25-30 MINUTOS

INGREDIENTES (4 p.): • 4 melocotones hermosos • 6 cuch. de azúcar • 2 tazas de leche • 1 cuch. de harina de maíz refinada • 1 rama de vainilla. PARA EL MERENGUE: • 2 claras y 4 cuch. de azúcar • azúcar glas y unas hojas de menta • agua.

ELABORACIÓN

En una cazuela, con unos 3 dedos de agua, coloca los melocotones y 4 cucharadas de azúcar. Hornéalo a 160 grados durante 30 minutos aproximadamente, a continuación, déjar enfriar y deshuesa los melocotones sin partirlos del todo.

En otro cazo pon a calentar la leche —reservando un poco— con las semillas de la vainilla y el resto del azúcar. Diluye la harina de maíz en la leche que has reservado y añádeselo. Mezcla bien con una varilla y sigue removiendo hasta que espese la mezcla.

Rellena los melocotones con el merengue que habrás preparado montando las claras con el azúcar.

Reparte la crema de vainilla —caliente, templada o fría— en el fondo de unas copas de postre y coloca sobre ellas los melocotones rellenos. Sirve espolvoreado con azúcar glas y decorado con unas hojas de menta.

TIEMPO DE ELABORACIÓN: 45-50 MINUTOS

MENÚ 5

Primer plato

Espaguetis al queso

Segundo plato

Revuelto especial de verduras

Postre

Perfecto de picotas

INGREDIENTES (4 p.): • 320 g de espaguetis (con verduras) • 50 g de queso azul • $^1/_2$ vaso de nata líquida • 1 vaso de caldo • 1 cebolleta • 300 g de setas o champiñones • $^1/_2$ pimiento verde • perejil picado • aceite, agua y sal.

ELABORACIÓN

Cuece los espaguetis en abundante agua hirviendo con sal y aceite durante 5-6 minutos. Escurre y resérvalos.

En una cazuela, calienta el caldo con la nata líquida y el queso desmenuzado. Déjalo reducir 15 minutos.

En una sartén con aceite, saltea la cebolleta, las setas y el pimiento verde, todo picado. Sazona y espolvorea con perejil. Aparte, saltea también la pasta con un poco de aceite.

Sirve la pasta en una fuente. Coloca en el centro la fritada de setas y salsea con la salsa de queso.

TIEMPO DE ELABORACIÓN: 20-25 MINUTOS

INGREDIENTES (4 p.): • 4-5 huevos • 16 gambas • 100 g de bacon • 4 champiñones • 8 puntas de espárragos verdes • 6 ajos tiernos • $^1/_2$ berenjena • 2 patatas • 100 g de espinacas • unas rebanadas de pan • aceite, agua y sal.

ELABORACIÓN

Prepara una crema cociendo las patatas peladas y troceadas con las espinacas bien limpias en una cazuela con sal y un chorro de aceite. Después de 15-20 minutos, tritúralo con una batidora y pásalo por un colador.

En una sartén con aceite, pon a rehogar el bacon cortado en dados. Cuando esté dorado, agrega los champiñones en láminas, las puntas de espárragos, los ajos tiernos y la berenjena pelada, todo troceado. Sazona e incorpora por último, las gambas peladas y sazonadas. Déjalo hacer todo junto unos minutos hasta que esté bien pochado. Agrega entonces los huevos, revuelve bien y cuájalo.

Sirve este revuelto en una fuente con el fondo cubierto con la crema de espinacas y acompañado con unos costrones de pan fritos. Sirve el resto de la crema en una salsera.

TIEMPO DE ELABORACIÓN: 25-30 MINUTOS

INGREDIENTES (6 p.): • 150 g de picotas o cerezas en licor • 4 yemas de huevo • 250 g de nata montada • 250 g de azúcar • 4 cuch. de agua • un poco de zumo de limón • unas hojas de menta.

ELABORACIÓN

Prepara un jarabe calentando en un cazo el azúcar mojada con el agua y un poco de zumo de limón.

En un bol, monta con una batidora de varillas las yemas a la vez que vas añadiendo el jarabe en caliente. Bate la mezcla 4-5 minutos hasta que espese, claree y aumente el volumen.

Añade las picotas deshuesadas en licor y la nata montada. Mezcla con cuidado y viértelo en moldes de ración.

Congélalo 3-4 horas. Desmolda y sirve decorado con picotas enteras, un poco de licor y unas hojas de menta.

TIEMPO DE ELABORACIÓN: 15-20 MINUTOS

MENÚ 6

Primer plato

Crema de espárragos con marisco

Segundo plato

Huevos a la reina

Postre

Tarta de zanahorias

INGREDIENTES (4 p.): • 2 manojos de espárragos verdes • 3 patatas • 4 vieiras • 8 gambas • 4 langostinos • 1 diente de ajo • aceite de oliva • sal y pimienta • agua.

ELABORACIÓN

Pela las patatas y pícalas. A continuación, en una cazuela con agua con sal y un chorrito de aceite, cuécelas con los espárragos bien limpios y troceados. Deja cocer 25 minutos. Una vez cocidos, tritura con una batidora y pásalo por el chino para obtener una crema fina.

Pela las gambas y langostinos. Trocea éstos últimos, así como la carne de las vieiras con su coral. Salpimenta todo y saltea en una sartén con aceite y 1 diente de ajo en láminas.

Sirve la crema en los platos con el salteado de mariscos por encima. Decora con un chorro de aceite de oliva crudo.

TIEMPO DE ELABORACIÓN: 25-30 MINUTOS

INGREDIENTES (4 p.): • 4 huevos • 150 g de jamón serrano • 1 cebolleta • 1 pimiento verde • 1 vaso de salsa de tomate • 1 chorro de vino blanco seco • 1 cucharadita de harina • $^1/_2$ vaso de nata líquida • unas rebanadas de pan • aceite • nuez moscada • sal y pimienta • perejil picado.

ELABORACIÓN

En una tartera (cazuela baja y ancha) con aceite, pon a rehogar la cebolleta y el pimiento verde bien picados. Sazona y añade el jamón también picado. Saltéalo, echa la harina y sigue rehogando. Moja con el vino blanco y la salsa de tomate y mézclalo bien. Incorpora la nata líquida y adereza con un poco de nuez moscada. Casca encima los huevos y gratínalos durante 2 minutos.
Sírvelos con unos costrones de pan frito y espolvoreados con perejil picado.

TIEMPO DE ELABORACIÓN: 15-20 MINUTOS

INGREDIENTES (6-8 p.): • 150 g de zanahorias ralladas • 4 huevos • 100 g de nueces picadas • 200 g de azúcar • 150 g de harina • $^1/_2$ sobre de levadura • 180 g de mantequilla • un poco de mantequilla y harina para untar el molde • azúcar glas y unas hojas de menta.

ELABORACIÓN

En un bol, mezcla con una batidora de varillas la mantequilla (blandita) con el azúcar. Agrega los huevos de uno en uno y sin parar de batir. A continuación, y con una varilla de alambre, mezcla las nueces y la zanahoria. Por último, añade la harina con la levadura.

Una vez que esté todo bien mezclado, echa la masa en un molde untado con mantequilla y enharinado. Hornea a 175 grados durante 30 minutos aproximadamente. Desmolda y decora espolvoreando con azúcar glas y menta. Sirve.

MENÚ 7

Primer plato

Ensalada de remolacha y patata

Segundo plato

Salmón al horno

Postre

Sopa de almendras

INGREDIENTES (4 p.): • 2 remolachas cocidas • 2 patatas cocidas • 200 g de hongos • 200 g de judías verdes cocidas • 4 pencas de acelga cocidas • 8 rabanitos • 12 colas de gambas o langostinos • 1 cebolleta • perejil picado • aceite de oliva • vinagre y sal.

ELABORACIÓN

En el centro de una fuente o plato, coloca las judías cocidas y cúbrelas con las pencas troceadas. Alrededor, reparte las patatas, peladas y cortadas en rodajas, alternando con remolacha, también en rodajas. Decora con los rabanitos. Añade los hongos bien limpios y cortados en láminas, y sazona.

En una sartén con aceite, saltea las colas de gambas sazonadas. Espolvoréalas con perejil y añádelas a la ensalada.

Por último, decora con aros de cebolleta y aliña con aceite de oliva y vinagre. Sirve.

TIEMPO DE ELABORACIÓN: 15 MINUTOS

INGREDIENTES (4 p.): • 1 kg de salmón (cola) • 1 limón • 400 g de patatas • $^1/_2$ pimiento morrón • $^1/_2$ cebolla • perejil picado • sal y pimienta • agua.

ELABORACIÓN

Pela, corta las patatas en rodajas no muy finas y colócalas en el fondo de una placa de horno. Añade el pimiento morrón, la cebolla en tiras y el limón en medias lunas. Moja con 1 vaso de agua, sazona y hornéalo a 180 grados durante 15 minutos.

Limpia el salmón retirando la piel y las espinas a la vez que lo abres en dos mitades. Salpiméntalo y colócalo sobre la cama de patatas. Vuelve a hornear durante 5-6 minutos a la misma temperatura. Sirve el salmón con las patatas.

Liga la salsa calentándola con unas patatas aplastadas con un tenedor, perejil picado y un chorrito de agua.

Salsea el salmón. Puedes decorarlo con medio limón.

TIEMPO DE ELABORACIÓN: 25-30 MINUTOS

INGREDIENTES (4-6 p.): • 250 g de almendra molida • 150 g de azúcar • 1 l de agua • canela en polvo • unas fresas y hojas de menta.

ELABORACIÓN

Pon a calentar las almendras molidas con el agua y el azúcar hasta que espese la mezcla, unos 20 minutos hirviendo. A continuación, cuela la sopa por un chino. Sirve la sopa en una fuente honda, decora con rodajitas de fresa, menta y canela en polvo. Puedes tomarla caliente o fría.

MENÚ 8

Primer plato

Sopa de arroz

Segundo plato

Conejo con pimentón

Postre

Plátanos con crema de café

INGREDIENTES (4 p.): • 1¹/₂ tazas de arroz • 100 g jamón serrano • ¹/₂ cebolla • 1 pimiento verde • 1 zanahoria • 2 huevos cocidos • 2 dientes de ajo • queso ralla-do • unas hebras de azafrán • 8 rebanadas de pan • 1 l de agua • aceite y sal.

ELABORACIÓN

En una cazuela con un poco de aceite, rehoga la cebolla, el pimiento verde, los ajos y la zanahoria, todo picado. Añade el jamón, también picado, y el arroz, rehógalo bien, agrega las hebras de azafrán y moja con el agua, poniendo a punto de sal. Déjalo cocer a fuego lento durante 15 minutos. Añade los huevos cocidos y pica-dos y el pimiento en tiras.

Pon el queso rallado encima de las rebanadas de pan y gratínalas hasta que se de-rrita el queso.

Sirve la sopa con los costrones de pan gratinados.

CONEJO CON PIMENTÓN

INGREDIENTES (4 p.): • 1 conejo de 1,200 kg (limpio) • 1 cebolla • 1 puerro • 4 dientes de ajo • 1 pimiento verde • 8 champiñones • 1 cuch. de pimentón • 1 hoja de laurel • 1 ramita de perejil y perejil picado • sal y pimienta • aceite y agua.

ELABORACIÓN

Pica la cebolla, el puerro, bien limpio, y el pimiento y póchalo en una cazuela con aceite junto con 3 dientes de ajo enteros con piel y el laurel. Sazona.

Añade el conejo troceado y salpimentado (reserva el hígado) y rehoga.

Añade los champiñones limpios y troceados. Echa el pimentón y sigue rehogando. Cubre con agua y déjalo hacer unos 15 minutos. Transcurrido este tiempo, agrega un majado hecho con el hígado salteado, 1 diente de ajo troceado y una ramita de perejil. Mezcla bien y guísalo otros 20-25 minutos a fuego suave.

Sirve espolvoreado con perejil picado.

TIEMPO DE ELABORACIÓN: 50-60 MINUTOS

INGREDIENTES (4 p.): • 4 plátanos • harina y huevo batido • $^1/_2$ sobre de levadura • aceite de oliva. **PARA LA CREMA DE CAFÉ:** • 2 cuch. de leche condensada • 250 ml de leche • 2 cucharaditas de harina de maíz refinada • 1 sobre de café soluble. **PARA DECORAR:** • frambuesas y unas hojas de menta.

ELABORACIÓN

Reboza los plátanos troceados con harina, a la que habrás añadido la levadura, y huevo batido y fríelos en aceite bien caliente.

En un cazo, echa la harina de maíz y medio vaso de leche fría. Agrega la leche condensada y el café. Mezcla bien. Vierte el resto de la leche y calienta removiendo hasta que espese la crema.

Sirve los plátanos rebozados sobre una fuente o plato con la crema de café.

Decora con unas frambuesas y unas hojas de menta.

TIEMPO DE ELABORACIÓN: 20-25 MINUTOS

MENÚ 9

Primer plato

Fideos
a la marinera

Segundo plato

Perlón
kirkilla

Postre

Bizcocho de nata

INGREDIENTES (4 p.): • 350 g de fideos • $^1/_2$ kg de almejas • 1 cebolla • 2 pimientos verdes • 2 dientes de ajo • 1,5 l de caldo de verduras • unas hebras de azafrán • perejil picado • aceite y sal.

ELABORACIÓN

En una cazuela con aceite, pon a rehogar la cebolla, el pimiento y los ajos, todo picado. Sazona y cocínalo durante 5 minutos aproximadamente.

Agrega el caldo, deja hervir y después añade los fideos y el azafrán. Cuece todo durante 10 minutos. Agrega las almejas, déjalo hacer 2-3 minutos y vierte en la sopera. Espolvorea con perejil picado y sirve.

TIEMPO DE ELABORACIÓN: 18-20 MINUTOS

INGREDIENTES (4 p.): • 1,200 kg de perlón • 2 cebolletas • 1 pimiento verde • 3 dientes de ajo • 3 patatas • perejil picado • aceite de oliva • vinagre • sal y pimienta • agua.

ELABORACIÓN

En una cazuela con aceite, pon a rehogar las cebolletas troceadas junto con las patatas peladas y troceadas y el pimiento cortado en tiras. Cubre con agua y deja cocer a fuego lento durante 20 minutos aproximadamente. Una vez cocidas las patatas, pon a punto de sal y agrega las rodajas de perlón salpimentadas. Deja cocer 5 minutos.

Sirve en una fuente y agrega encima un chorrito de vinagre y un refrito de aceite con ajo cortado en láminas y perejil picado.

INGREDIENTES (para un bizcocho): • 1 vaso de nata • 1 vaso de azúcar • doble medida de harina • ralladura de limón • 4 huevos • 1 sobre de levadura • un chorrito de aguardiente (opcional) • azúcar glas.

ELABORACIÓN

Bate todos los ingredientes poco a poco con ayuda de una batidora.
Forra un molde rectangular con papel antiadherente y vierte la mezcla. Hornea (con horno precalentado) hasta que se dore.
Desmolda y sirve el bizcocho decorado con azúcar glas.

TIEMPO DE ELABORACIÓN: 20-30 MINUTOS

MENÚ 10

Primer plato

Cintas con tomate y queso

Segundo plato

Ajos tiernos con mollejas y huevos

Postre

Leche frita

INGREDIENTES (4 p.): • 320 g de cintas de pasta • 3 tomates maduros • 12 puntas de espárragos trigueros • 1 diente de ajo • 8 lonchas de queso de nata • aceite, agua y sal • 4 tomates enanos y perejil picado.

ELABORACIÓN

En una cazuela con abundante agua y sal, cuece la pasta al dente. Escurre y reserva.
Por otra parte, pela los tomates, previamente escaldados en agua hirviendo.
En una sartén con aceite, dora el ajo fileteado. Agrega el tomate troceado y a continuación, las puntas de espárragos. Sazona y deja hacer unos minutos a fuego suave. Añade la pasta y mezcla. Colócalo en un recipiente o plato resistente al horno. Cubre con queso y mételo al horno a gratinar durante 2-3 minutos.
Para servir, adorna con tomates enanos y perejil picado.

TIEMPO DE ELABORACIÓN: 25-30 MINUTOS

INGREDIENTES (4 p.): • 15 ajetes tiernos • 300 g de mollejas (de cordero) • 4 huevos • 3 dientes de ajo • $^1/_2$ pimiento morrón • perejil picado • aceite, sal y pimienta.

ELABORACIÓN

Pon a dorar, en una tartera con aceite, los dientes de ajo y los ajetes tiernos troceados. Añade las mollejas limpias y salpimentadas. Espolvorea con perejil picado y rehoga todo junto unos minutos. Casca encima los huevos y sazona. Hornea a 190 grados durante 2-3 minutos.
Sirve y acompaña con unos aros de pimiento morrón fritos.

INGREDIENTES (4 p.): • 1/2 l de leche • 90 g de azúcar • 60 g de harina (2 cuch. de trigo y 1 cuch. de maíz) • 2 huevos • $^1/_2$ ramita de canela • 2 cortezas de limón • harina y huevo para rebozar • aceite • azúcar con canela en polvo.

ELABORACIÓN

En un bol, mezcla bien el azúcar, la harina y parte de la leche. Cuando esté todo disuelto, añade los 2 huevos y sigue mezclando. Mientras tanto, pon a calentar el resto de la leche con la ramita de canela y una corteza de limón. Junta la mezcla del bol con la leche hirviendo y colada. Ponlo todo a calentar a fuego suave durante 6 o 7 minutos, hasta que espese y sin parar de remover para evitar que se pegue. A continuación, deja enfriar la crema, bien extendida en una fuente, retirando la canela y el limón.

Corta la masa en cuadrados, pásalos por harina y huevo y fríelos en aceite bien caliente con una corteza de limón.

Sirve la leche frita espolvoreada con una mezcla de azúcar y canela en polvo.

Deja que se enfríe.

TIEMPO DE ELABORACIÓN: 25-30 MINUTOS

MENÚ 11

Primer plato

Ensalada de
alubias blancas
con bacalao

Segundo plato

Manos de cerdo
guisadas

Postre

Ponche para niños

INGREDIENTES (4 p.): • 200 g de alubias blancas o pochas cocidas • 350 g de bacalao desalado • 1 blanco de puerro • $^1/_2$ pimiento verde • 1 cebolleta • unas hojas de escarola • aceite y sal • leche y agua. PARA LA VINAGRETA: • 1 tomate • 12 cuch. de aceite • 4 cuch. de vinagre • sal.

ELABORACIÓN

Pica en juliana fina la cebolleta, el blanco de puerro y el pimiento verde y ponlo a pochar en una sartén con aceite. Sazona.

Mientras, pon a calentar leche y agua a partes iguales e introduce los trozos de bacalao. Déjalos hacer 5 minutos a fuego suave (evitando que hierva el líquido). Saca el bacalao, retira la piel y suéltalo en láminas.

Para preparar la vinagreta, echa en un bol el tomate pelado y muy picado. Agrega el vinagre, la sal y el aceite.

Mezcla esta vinagreta con las alubias o pochas cocidas (reserva algo de vinagreta). Coloca el pochado de verduras en el fondo de una fuente y en el centro, las alubias con la vinagreta. Decora los bordes con unas hojas de escarola bien limpias y troceadas. Sazónalas. Por último, añade las láminas de bacalao. Salsea con la vinagreta que has reservado y sirve.

TIEMPO DE ELABORACIÓN: 25-30 MINUTOS

INGREDIENTES (4 p.): • 4 manos de cerdo • • 1 cebolla • 2 puerros • 2 zanaho-rias • 1 tomate • 3 dientes de ajo • 1 pimiento choricero • 1 hoja de laurel • 5 cla-vos de especia • 1 rama de perejil. **Para cocer las manos:** • 1 cuch. de harina • 1 cuch. de pimentón • 3 cebollas • agua, aceite y sal

ELABORACIÓN

Limpia las manitas y pártelas por la mitad.

Cuece las manitas en una olla, aproximadamente 2 horas, con 1 cebolla, los cla-vos, el pimiento choricero y el laurel y cubiertas con agua. Añade también la ver-dura bien limpia y sazona.

Una vez cocidas, escúrrelas y reserva las patas deshuesadas. Guarda también dos cazos de líquido de cocción y las verduras cocidas.

Aparte, en una sartén con aceite, haz un sofrito con las 3 cebollas muy picadas y sal. Después, añade el pimentón y la harina, rehogando.

Agrega los dos cazos del líquido de cocción, el pimiento choricero y las verduras, cocidas y pasadas por un pasapuré e introduce en esta salsa las patas. Guísalo unos 10 minutos a fuego lento y sirve las manitas acompañadas de su salsa (si lo deseas, pásala por un pasapuré y un chino para que quede más fina).

TIEMPO DE ELABORACIÓN: 2-2$^1/_2$ HORAS

INGREDIENTES (4 p.): • 750 ml de leche • 4 yemas de huevo • 4 cuch. de miel • canela en polvo • granadina y azúcar • unas hojas de menta.

ELABORACIÓN

Calienta la leche.
Viértela junto con las yemas y la miel en un vaso de batidora. Bátelo bien.
Por último, vierte el ponche en vasos grandes. Puedes decorar los bordes de los vasos impregnándolos en granadina y azúcar.
Espolvorea canela por encima y decora con hojas de menta.
Sirve en seguida.

TIEMPO DE ELABORACIÓN: 10-15 MINUTOS

MENÚ 12

Primer plato

Ensalada de huevos rellenos

Segundo plato

Albóndigas con espinacas

Postre

Galletitas de miel

INGREDIENTES (4 p.): • 6 huevos • 2 patatas cocidas • unas hojas de lechuga • unas hojas de escarola • 150 g de bonito en aceite • 12 aceitunas negras • 12 an-choíllas en conserva • aceite, vinagre, sal y agua. **PARA LA MAHONESA:** • 1 huevo, 1 vaso de aceite, un chorro de vinagre y sal.

ELABORACIÓN

Cuece los huevos, pélalos y pártelos por la mitad.

Separa las claras de las yemas. Estas últimas pícalas con el bonito y mezcla este preparado con la mahonesa que habrás hecho batiendo sus ingredientes.

Rellena con esta masa las claras de los huevos.

En una fuente, coloca las hojas de lechuga y escarola, bien limpias, cubriendo el fondo. Sobre ellas, pon las patatas peladas y cortadas en rodajas. Aliña con sal, vinagre y aceite.

Dispón los huevos rellenos y decora cada uno con una anchoa. Por último, añade las aceitunas y sirve.

TIEMPO DE ELABORACIÓN: 20-25 MINUTOS

INGREDIENTES (4 p.): • 400 g de carne de vacuno picada • 400 g de papada de cerdo picada • 8 champiñones • miga de pan • leche • 100 g de espinacas cocidas • 2 huevos • aceite • sal y pimienta • harina • perejil picado. **PARA LA SALSA:** • 2 cebollas • 2 cebolletas • 3 dientes de ajo • 2 tomates • un poco de caldo • aceite de oliva • sal.

ELABORACIÓN

Mezcla la carne con la papada, las espinacas troceadas y la miga de pan remojada en leche. Salpimenta, añade los huevos y sigue mezclando. Dale forma a las albóndigas, pásalas por harina y fríelas hasta que se doren.

Para hacer la salsa, trocea toda la verdura y póchala en una cazuela con un poco de aceite. Añade un poco de caldo, si queda seco, y pon a punto de sal. Déjalo hacer unos 15 minutos a fuego lento. A continuación, pasa esta salsa por el pasapuré e introduce en ella las albóndigas.

Aparte, saltea los champiñones, limpios y cortados en láminas. Vierte este salteado en la cazuela y espolvorea con perejil picado. Por último, déjalas hacer a fuego suave durante 15 minutos y sirve.

TIEMPO DE ELABORACIÓN: 40-45 MINUTOS

INGREDIENTES (unas 35): • 215 g de harina • 2 yemas de huevo • 130 g de miel • 35 g de azúcar • 35 g de cacao amargo en polvo • 3 cuch. de leche • 1 copita de licor • 60 g de nueces (tostadas y molidas) • 1 clavo (molido) • ralladura de limón • azúcar glas.

ELABORACIÓN

En un bol, mezcla con suavidad, las yemas con la miel, el licor, la leche, la ralladura de limón, el azúcar, el clavo, las nueces, el cacao y la harina tamizada.
Una vez que tengas una masa uniforme, coloca montoncitos en una placa de horno cubierta con papel antiadherente.
Hornea a 175 grados durante 8-10 minutos.
Sirve las galletitas espolvoreadas con azúcar glas.

TIEMPO DE ELABORACIÓN: 25-30 MINUTOS

MENÚ 13

Primer plato

Canelones
de verduras

Segundo plato

Maruca con crema
de acelgas

Postre

Tarta milhojas

INGREDIENTES (4 p.): • 12 láminas de canelones • 2 zanahorias • $^1/_4$ de coliflor • 100 g de judías verdes • 3 champiñones o setas • $^1/_4$ de l de salsa bechamel • 50 g de espinacas • 100 g de jamón serrano • queso rallado • aceite de oliva, sal y agua.

ELABORACIÓN

Limpia y cuece todas las verduras por separado y pícalas. Cuece la pasta en abundante agua con sal y un poco de aceite. Después de 10-12 minutos, escúrrela y reserva.

Mientras, prepara la bechamel rehogando, en una sartén, el jamón picado. Añade las espinacas y la harina. Rehoga de nuevo. Vete añadiendo la leche poco a poco y sin parar de remover. Pon a punto de sal.

Rellena los canelones con la mezcla y colócalos en una placa o fuente de horno cubiertos con el resto de la bechamel y espolvoreados con queso rallado. Gratínalos en el horno hasta que se doren, unos 2 minutos, y sirve.

TIEMPO DE ELABORACIÓN: 25-30 MINUTOS

INGREDIENTES (4 p.): • 800 g de maruca en filetes • harina y huevo batido • 300 g de acelgas • 1 patata • 3 dientes de ajo • aceite y agua • sal y pimienta negra.

ELABORACIÓN

Limpia las acelgas y separa las pencas de las hojas verdes.

Cuece las hojas de las acelgas con la patata pelada y troceada en agua con sal y un chorro de aceite. Déjalo hacer durante 20 minutos.

Retira los hilos de las pencas y trocéalas. Cuécelas aparte en agua con sal y un chorro de aceite durante 15 minutos aproximadamente. Pasa la crema por un pasapuré. Reboza las pencas con harina y huevo y fríelas. Fríe también el pescado salpimentado con 3 dientes de ajo.

En una fuente coloca las pencas, en el centro vierte la crema y sirve sobre ellas los filetes de maruca fritos.

TIEMPO DE ELABORACIÓN: 35-40 MINUTOS

INGREDIENTES (8-12 p.): • **PARA LOS BIZCOCHOS:** • 125 g de mantequilla • 150 g de azúcar • $^1/_2$ taza de leche • 3 huevos • 300 g de harina. **PARA EL RELLENO:** • crema pastelera • mermelada de diferentes sabores. **PARA ADORNAR:** • azúcar glas • unas hojas de menta.

ELABORACIÓN

Para preparar los bizcochos bate la mantequilla derretida con el azúcar. Agrega las yemas de huevo y la leche, una vez que esté todo bien mezclado, añade la harina, mezcla con una espátula y por último, las claras montadas a punto de nieve, removiendo con cuidado.

Reparte este preparado sobre una placa de horno forrada con papel antiadherente para preparar varios bizcochos finos. Hornéalos hasta que estén hechos, unos 8 minutos, a 175 grados.

Monta las tartitas alternando 5 capas de bizcocho con capas de crema pastelera y mermeladas de diferentes sabores.

Decora con azúcar glas y unas hojas de menta.

TIEMPO DE ELABORACIÓN: 30-35 MINUTOS

MENÚ 14

Primer plato

Ensalada de sardinas viejas

Segundo plato

Pollo en pepitoria

Postre

Pudín de fresas

INGREDIENTES (4 p.): • 4 sardinas viejas (en salazón) • 2 pimientos rojos asados y pelados • 2 pimientos verdes asados y pelados • 2 huevos cocidos • aceite de oliva • vinagre y sal.

ELABORACIÓN

En la víspera, pela, limpia y filetea las sardinas. Déjalas macerar con aceite de oliva durante 24 horas, por lo menos.

Para montar la ensalada, coloca los pimientos en tiras en el fondo de una fuente o plato. Sazona y coloca encima las sardinas.

Separa las claras de las yemas de los huevos cocidos y pícalas por separado.

Espolvorea con este picado la ensalada por encima. Por último, aliña con aceite de oliva y vinagre. Sirve.

TIEMPO DE ELABORACIÓN: 10-15 MINUTOS

INGREDIENTES (4 p.): • 1 pollo de 1,5 kg (aprox.) • 2 cebollas • 1 pimiento verde • ¹/₂ l de caldo • 2 dientes de ajo • unas hebras de azafrán • 8 almendras • 4 rebanadas de pan frito • 1 hoja de laurel • perejil picado • aceite, sal y pimienta negra.

ELABORACIÓN

Trocea el pollo ya limpio y salpiméntalo. Saltea los trozos en una cazuela con aceite hasta que se doren.

Pica la cebolla y el pimiento verde y añádeselo al pollo. Rehoga unos minutos.

Tritura el caldo con el resto de los ingredientes y viértelo sobre el pollo.

Deja guisar durante 30 minutos. Si ves que se queda seco, añade más caldo. Pasa la salsa por un pasapuré (retira la hoja de laurel).

Sirve el pollo y salsea.

TIEMPO DE ELABORACIÓN: 40 MINUTOS

INGREDIENTES (6 p.): • $^1/_2$ kg de fresas • 3 cuch. de azúcar • 150 g de nata líquida • 2 huevos y 1 yema • 3 hojas o 5 g de gelatina neutra • agua. PARA DECO-
RAR: • unas fresas • mermelada de fresa • unas hojas de menta.

ELABORACIÓN

Haz un puré triturando las fresas ya limpias (también puedes pasarlo por un chino).
En un bol, echa los huevos con la yema y 3 cucharadas de azúcar, mezclándolo
bien, al baño maría. A continuación, añade el puré de fresas y la gelatina, previamente remojada en el agua. Mézclalo todo bien, hasta conseguir una masa homogénea.
Monta la nata y añádesela al bol, removiéndolo bien con una varilla.
Echa la masa en un molde y deja que enfríe en el frigorífico durante 6 horas aproximadamente.
Desmolda y decora el pudín con unas hojas de menta, mermelada y unas fresas
partidas en cuartos.

TIEMPO DE ELABORACIÓN: 25-30 MINUTOS, MÁS EL ENFRIAMIENTO

MENÚ 15

Primer plato

Judías verdes con
patatas y refrito

Segundo plato

Boquerones
rellenos

Postre

Palmeras

INGREDIENTES (4 p.): • 500 g de judías verdes • 4 patatas • 2 zanahorias • agua, un chorrito de aceite y sal. **PARA EL REFRITO:** • 2 dientes de ajo • 1 cuch. de harina • $^1/_2$ cuch. de pimentón dulce • aceite de oliva.

ELABORACIÓN

Limpia las judías retirándoles los hilos y trocéalas. Cuécelas en una cazuela con agua hirviendo, un chorro de aceite y una pizca de sal, junto con las patatas peladas y troceadas y las zanahorias en rodajas. Déjalo hacer durante 20-25 minutos. Prepara el refrito dorando los ajos pelados y troceados en una sartén con aceite. Agrega el pimiento y la harina fuera del fuego y vuelve a rehogar sin que se queme. Añade este refrito sobre la cazuela, mezclándolo todo bien. Dale un hervor y sirve.

TIEMPO DE ELABORACIÓN: 35-40 MINUTOS

INGREDIENTES (4 p.): • 1 kg de anchoas • 200 g de jamón en lonchas • 2 docenas de pimientos verdes • 3 dientes de ajo • harina y huevo para rebozar • aceite y
sal • 1 limón.

ELABORACIÓN

Para limpiar las anchoas, quita la cabeza y las tripas y ábrelas retirando la espina
central. Coloca encima de una de ellas una loncha de jamón y de nuevo otra anchoa. Pásalas por harina y huevo batido y fríelas en aceite con 1 diente de ajo.
Sírvelas en una fuente y decóralas con un limón.
Acompaña las anchoas rellenas con los pimientos verdes fritos con 2 dientes de ajo
y sazonados.

INGREDIENTES (4-6 p.): • 300 g de hojaldre • azúcar glas al gusto • agua • mermelada.

ELABORACIÓN

Espolvorea azúcar glas al gusto sobre una superficie plana y coloca encima la plancha de hojaldre. Espolvorea más azúcar y estira la placa de hojaldre con el rodillo. Unta el hojaldre con agua, ayudándote de una brocha. Enrolla la masa desde los dos bordes hasta la mitad, de tal forma que obtengas dos rollos de hojaldre.
Con un cuchillo bien afilado corta en lonchas los dos rollos de hojaldre a la vez, de esta forma irás obteniendo las palmeras. Colócalas sobre una placa de papel antiadherente, dejando suficiente espacio entre ellas. La mitad las espolvoreas con azúcar y la otra mitad con mermelada. Si son grandes úntalas a media cocción. Hornéalas a 180 grados durante 10 minutos. Listas para llevar a la mesa. También puedes untarlas con chocolate de cobertura.

TIEMPO DE ELABORACIÓN: 20-25 MINUTOS

MENÚ 16

Primer plato

Zanahorias con queso al horno

Segundo plato

Chicharro asado con patatas panaderas

Postre

Copas de galleta y melocotón

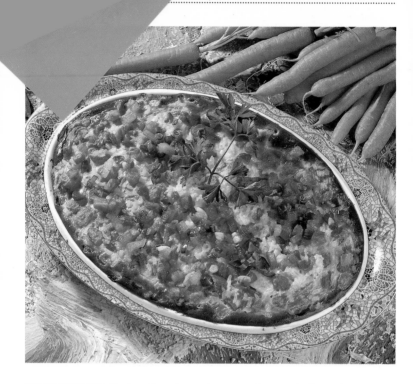

INGREDIENTES (4 p.): • 400 g de zanahorias cocidas • 1 cebolla • 1 diente de ajo • 200 g de crema de queso • 2 huevos • $^{1}/_{2}$ vaso de leche • 2 vasos de arroz cocido • 150 g de bacon • 1 pimiento verde • aceite, sal y pimienta.

ELABORACIÓN

Pocha en una cazuela con aceite la cebolla y el ajo picados. Añade las zanahorias picadas y saltea unos minutos.

Mezcla la leche con los huevos y el queso. Pon a punto de sal y pimienta. Agrega el arroz y mézclalo bien. Añádele el salteado de zanahorias y vuelve a mezclar.

Colócalo en una fuente resistente al horno. Hornea unos 12-15 minutos a 160 grados.

Sirve con unos taquitos de bacon fritos y con un pimiento verde picado.

TIEMPO DE ELABORACIÓN: 30-35 MINUTOS

INGREDIENTES (4 p.): • 2 chicharros de 800 g • 4 dientes de ajo • un chorro de vinagre • perejil picado y sal • agua o caldo de pescado. PARA LAS PATATAS PANADE-RAS: • 2 patatas • 1 cebolleta • 3 dientes de ajo • aceite y sal.

ELABORACIÓN

Limpia los chicharros, ábrelos por la mitad y sazona. Colócalos en una fuente de horno con un chorro de aceite y un poco de agua. Hornea 10 minutos a 180 grados.

En una sartén con aceite, fríe las patatas y la cebolleta, cortadas en rodajas, junto con los ajos.

Una vez asados los chicharros, sácalos del horno y sírvelos en una fuente con las patatas panaderas.

Haz un refrito con los ajos en láminas utilizando parte del aceite de freír, las patatas y el perejil picado.

Por último, echa un chorro de vinagre sobre los chicharros y por encima el refrito.

TIEMPO DE ELABORACIÓN: 30-35 MINUTOS

INGREDIENTES (4 p.): • 12 galletas tostadas • 400 g de melocotón en almíbar • 12 fresas • canela molida • 250 g de nata líquida • 2 cuch. leche condensada • 3 cuch. de azúcar • 4 hojas de menta.

ELABORACIÓN

Desmenuza las galletas metiéndolas en una bolsa y aplastándolas con un rodillo.

Corta los melocotones en trocitos, pica las fresas y monta la nata con el azúcar.

Coloca en el fondo de unas copas el melocotón, unos trocitos de fresa, unas galletas molidas y moja con un chorro del caldo de almíbar y un poquito de leche condensada. Repite la operación hasta llenar la copa (melocotón, fresas y galletas), decorando por encima con la nata montada.

Termina espolvoreando las copas con canela en polvo y adornando con unas hojas de menta.

TIEMPO DE ELABORACIÓN: 25-30 MINUTOS

MENÚ 17

Primer plato

Revuelto de pisto

Segundo plato

Bacalao fresco con salsa de marisco

Postre

Plátanos con galletas

INGREDIENTES (4 p.): • $^{1}/_{2}$ berenjena • $^{1}/_{2}$ calabacín • $^{1}/_{2}$ cebolla roja • 1 pimiento morrón • 1 pimiento verde • 100 g de vainas cocidas • 2 tomates • 5 o 6 huevos • 3 dientes de ajo • 8 pimientos del piquillo • perejil picado • aceite de oliva y sal.

ELABORACIÓN

En una cazuela con aceite, saltea la verdura, pelada y troceada. Agrega los tomates, escaldados en agua hirviendo, pelados y sin pepitas. Reserva las vainas.
Cuando la verdura esté bien pochada, 10-15 minutos, añade los huevos y sazona. Espolvorea con perejil y agrega las vainas. Revuelve hasta que cuaje.
Coloca el revuelto en un plato y acompaña con los piquillos fritos a fuego lento con sal durante 6-8 minutos.

TIEMPO DE ELABORACIÓN: 30-35 MINUTOS

INGREDIENTES (4 p.): • 800 g de bacalao fresco • 12 langostinos • 8 mejillones • $^1/_2$ vaso de vino blanco • aceite • perejil picado • agua, sal y pimienta. **PARA LA SALSA:** • 1 cebolla • 2 tomates maduros • 2 zanahorias • 2 puerros • 1 cuch. de pimentón dulce • estragón • 1 copita de brandy • perejil • aceite y sal.

ELABORACIÓN

Cuece los mejillones en agua con vino blanco y reserva también el caldo.

Para preparar la salsa, pocha todas las verduras picadas con el perejil en una cazuela con aceite. Sazona.

Aparte, rehoga machacando las cabezas de los langostinos y agrega el estragón y el pimentón, moja con el brandy y flambea.

Agrega a la verdura este flambeado. Déjalo hacer unos 5 minutos, tritúralo y pásalo por un chino. Reserva.

Saltea el bacalao y los langostinos pelados, todo salpimentado.

Sirve el bacalao y los langostinos en una fuente con el fondo cubierto de salsa de marisco. Espolvorea con perejil y decora con los mejillones. Acompaña con el resto de la salsa.

TIEMPO DE ELABORACIÓN: 40-50 MINUTOS

INGREDIENTES (4 p.): • 3 plátanos (maduros) • 8 galletas tostadas • un chorrito de leche condensada • zumo de 1 limón • 4 fresas • unas hojas de menta • 1 copita de licor de manzana.

ELABORACIÓN

En un bol o jarra, echa las galletas muy troceadas y los plátanos pelados y en rodajas. Mézclalo y añade el zumo de limón, la leche condensada y el licor de manzana. Tritúralo todo con una batidora hasta conseguir una masa homogénea.
Sirve este puré en copas y enfríalas hasta el momento de servir. Decora con trocitos de fresa y unas hojas de menta.

TIEMPO DE ELABORACIÓN: 15-20 MINUTOS

MENÚ 18

Primer plato

Pudín de zanahorias y judías

Segundo plato

Salmonetes encebollados con tomate

Postre

Trufas blancas

INGREDIENTES (4 p.): • 1 kg de zanahorias cocidas (pequeñas) • 300 g de judías verdes cocidas • 6 huevos • $^1/_2$ l de nata • sal y pimienta • mantequilla y pan rallado. **PARA LA CREMA DE CALABAZA:** • 300 g de calabaza • 2 cebolletas • agua, aceite y sal • 1 patata.

ELABORACIÓN

Prepara una crema de calabaza poniendo a pochar en una cazuela con aceite, la cebolleta en juliana junto con la calabaza y la patata, ambas picadas. Sazona y rehoga. Cubre con agua y deja cocer 20 minutos. Pasa por un pasapuré y después por un chino.

Unta un molde antiadherente con mantequilla y pan rallado. Bate los huevos con una pizca de sal y pimienta molida. Añade la nata y mezcla bien.

Vete intercalando las verduras (zanahorias y vainas) y la crema de huevos y nata, hasta rellenar todo el molde.

Hornea a 160 grados durante una hora al baño maría.

Deja templar y desmolda. Sirve el pastel frío o caliente con la crema de calabaza. Puedes decorar con un chorrito de aceite crudo por encima.

Deja enfriar para cortar el pudín.

TIEMPO DE ELABORACIÓN: 60-75 MINUTOS

INGREDIENTES (4 p.): • 4 salmonetes de ración • 2 cebolletas o 1 cebolla • 2 tomates maduros • 6 dientes de ajo • unas hebras de azafrán • harina • aceite de oliva y sal • 1 limón.

ELABORACIÓN

En una sartén con aceite, fríe dos ajos en láminas y cuando estén dorados, añade el tomate troceado. Sazona y condimenta con el azafrán. Deja pochar unos minutos.
Aparte, limpia los salmonetes retirándoles las escamas y las vísceras. Sazona y pásalos por harina. Fríelos en una sartén con aceite caliente junto con 4 dientes de ajo enteros.
Corta las cebolletas en juliana y cuando des la vuelta a los salmonetes añádeselas y deja freír todo junto durante 3 minutos por cada lado.
Para servir, coloca la fritada en una fuente, pon encima los salmonetes y, sobre ellos, la cebolla y el ajo. Decora con un limón.

INGREDIENTES (unas 30 unidades): • $^1/_4$ de l de nata líquida • 200 g de chocolate blanco • 75 g de azúcar glas • fideos de chocolate, bolitas de anís, perlitas de pastelería.

ELABORACIÓN

En un bol, monta la nata con el azúcar glas, agrega el chocolate blanco rallado y sigue mezclando.
Da forma a las trufas y rebózalas con fideos de chocolate, anises, perlitas de pastelería, etcétera.

TIEMPO DE ELABORACIÓN: 15-20 MINUTOS

MENÚ 19

Primer plato

Sopa de cebolla y lechuga

Segundo plato

Verdel en salsa verde

Postre

Tarta de plátanos

INGREDIENTES (4 p.): • 2 cebollas • 1 lechuga • 50 g de queso rallado • 1 l de caldo de ave • 1 guindilla seca • perejil picado • aceite de oliva y sal • unas rebanadas de pan frito • 2 diente de ajo.

ELABORACIÓN

En una cazuela con aceite, pocha la cebolla en juliana con una pizca de sal. Añade la lechuga, la guindilla y cubre con el caldo.

Cuécelo durante 15 minutos y tritúralo.

Espolvorea con queso rallado.

Sirve la sopa y acompáñala con los panes fritos untados con ajo.

TIEMPO DE ELABORACIÓN: 30-35 MINUTOS

VERDEL EN SALSA VERDE

INGREDIENTES (4 p.): • 4 verdeles • harina y huevo batido • 1 cabeza de ajos • unas puntas de espárragos verdes • aceite de oliva • sal. **PARA LA SALSA VERDE:** • ¹/₂ cebolla o 1 cebolleta • 1 taza de guisantes cocidos • 2 dientes de ajo • 1 cuch. de harina • caldo de pescado • perejil picado • aceite de oliva y sal.

ELABORACIÓN

Para preparar la salsa verde, dora en una cazuela con un poco de aceite (4 o 5 cucharadas), el ajo en láminas y la cebolla o cebolleta picada. Sazona y una vez pochado, añade una cucharada de harina y rehoga. A continuación, agrega el caldo, poco a poco y abundante perejil picado, mezclándolo todo bien hasta que la salsa engorde (añade más o menos caldo para conseguir la textura que desees). Agrega también los guisantes y deja que reduzca unos minutos.

Limpia bien los verdeles y filetéalos retirando la piel y las espinas. Trocea los filetes, sazona y rebózalos con harina y huevo batido. Fríe en abundante aceite caliente junto con los ajos y las puntas de los espárragos.

Sirve el pescado en un plato o fuente con el fondo cubierto con salsa verde y por último, decora con los espárragos.

TIEMPO DE ELABORACIÓN: 20-25 MINUTOS

INGREDIENTES (4-6 p.): • 150 g de hojaldre • 5 o 6 plátanos • 1 pera • unas gotas de limón • 200 g de azúcar • 1 vaso de agua • unas grosellas • unas hojitas de menta.

ELABORACIÓN

Prepara un caramelo con azúcar, el vaso de agua y unas gotas de limón, diluyéndolos a fuego lento. Unta con él un molde.

Pela los plátanos, córtalos en trozos de la altura del molde y distribúyelos sobre el caramelo cubriendo todo el fondo.

Pela la pera, pártela en rodajas y colócalas encima.

Tápalo todo con una capa de hojaldre fina introduciéndola también por los bordes.

Hornea durante 30 minutos a unos 160 grados.

Retira la tarta del horno, vuélcala sobre un plato y quita el molde. Decora con unas grosellas u otras frutas rojas y unas hojitas de menta.

TIEMPO DE ELABORACIÓN: 45-50 MINUTOS

MENÚ 20

Primer plato

Ensalada de pasta y cordero

Segundo plato

Huevos txantxagorri

Postre

Flan exprés

INGREDIENTES (4 p.): • 250 g de pasta (cintas nido) • 250 g de cordero • un manojo de berros • 2 dientes de ajo • aceite • sal y pimienta • perejil picado • agua.
PARA LA VINAGRETA: • 1 cebolleta • 1 tomate pequeño • 8 cuch. de aceite de oliva • 2 cuch. de vinagre • sal.

ELABORACIÓN

Cuece la pasta en abundante agua hirviendo con sal y un chorro de aceite. Escurre, refresca y reserva.

Parte el cordero en tiras y salpiméntalo. A continuación, saltéalo en una sartén con aceite junto con los ajos en láminas. Espolvorea con perejil picado.

Coloca la pasta en una fuente y encima el cordero salteado (también puedes usar cordero guisado o asado que te haya sobrado). Añade también los berros bien limpios. Sazónalos.

En un bol, prepara la vinagreta con la cebolleta y el tomate bien picados. Adereza con aceite, vinagre y sal. Bátela para que ligue y aliña con ella la ensalada.

INGREDIENTES (4 p.): • 4 huevos • 4 rebanadas de pan de molde • 100 g de jamón serrano (tacos) • 1 cebolla • $^1/_2$ vaso de salsa de tomate • 1 chorro de vino blanco • 1 cuch. de harina • nuez moscada • 1 vaso de leche • $^1/_2$ vaso de nata líquida • aceite de oliva • perejil picado • sal.

ELABORACIÓN

Corta el pan en triángulos (uves) y fríelos en una tartera con aceite muy caliente. Retíralos y reserva.

En la misma tartera, con un poco de aceite, rehoga la cebolla picada. Añade el jamón y saltéalo unos minutos. Agrega la harina y vuelve a rehogar, después, el vino y la salsa de tomate. Luego, incorpora la leche y por último, la nata y la nuez moscada. Coloca los huevos encima y gratina en el horno durante 2-3 minutos, hasta que cuajen los huevos. Sazónalos.

Al servir, rodéalos con el pan frito, con la punta untada en salsa de tomate y perejil.

TIEMPO DE ELABORACIÓN: 20-25 MINUTOS

INGREDIENTES (6-8 p.): • 1 l de leche • 6 huevos • 150 g. de azúcar • 1 palo de canela • caramelo para el molde • agua.

ELABORACIÓN

En una cazuela, hierve la leche con la canela. Deja templar, retira el palo de canela y mezcla con los huevos, previamente batidos, y el azúcar. Vierte esta mezcla sobre un molde caramelizado. Tapa el molde con papel de aluminio e introdúcelo en la olla a presión. Añade agua con cuidado hasta cubrir 1/5 del molde.

Pon la olla al fuego y deja que suba al nivel 2, durante 5 minutos. Espera a que pierda toda la presión la olla. Saca el molde, espera a que se enfríe y desmolda. El flan está listo para servir.

Deja que se enfríe.

TIEMPO DE ELABORACIÓN: 20 MINUTOS

MENÚ 21

Primer plato

Lasaña de anchoas y pimiento

Segundo plato

Berenjenas rellenas de arroz

Postre

Kiwis gratinados

INGREDIENTES (4 p.): • $^1/_2$ kg de anchoas maceradas • 1 pimiento rojo asado • 2 pimientos verdes asados • 2 tomates • albahaca picada • aceite de oliva • vinagre y sal. **PARA EL PURÉ DE PATATAS:** • 2 patatas • aceite de oliva • agua y sal.

ELABORACIÓN

Limpia las anchoas y saca sus filetes. Ponlos a macerar con sal y vinagre durante $1^1/_2$ hora. También puedes macerarlas en la víspera con sal y vinagre, pero en este caso rebajado a la mitad con agua.

Una vez las anchoas estén maceradas, escúrrelas y colócalas en un recipiente con aceite.

En una cazuela con agua, sal y un chorrito de aceite cuece las patatas peladas y troceadas. Cuando estén cocidas, aplástalas con ayuda de un tenedor hasta obtener un puré de patatas.

En una fuente, extiende una cama de puré, encima una cama de pimiento verde y otra de anchoas. Cubre con pimiento rojo y otra de anchoas.

Aparte, saltea en una sartén con aceite el tomate, cortado en gajos finos, y la albahaca picada.

Sirve la lasaña acompañada del salteado de tomate y un chorrito de aceite crudo por encima.

TIEMPO DE ELABORACIÓN: 20-25 MINUTOS

INGREDIENTES (4 p.): • 2 berenjenas grandes • 100 g de arroz blanco cocido • 50 g de chorizo • 100 g de guisantes cocidos • aceite de oliva • sal y pimienta • salsa de tomate. PARA $^{1}/_{2}$ LITRO DE SALSA BECHAMEL: • una nuez de mantequilla, aceite de oliva, $^{1}/_{2}$ cuch. de harina, $^{1}/_{2}$ l de leche y sal.

ELABORACIÓN

Corta las berenjenas a lo largo por la mitad. Hazles unos cortes en el interior y colócalas en una placa de horno, sazónalas y échales un poquito de aceite. Hornéalas a 180 grados durante unos 10 minutos, hasta que estén hechas.

Retira del horno y deja templar. Saca la carne de las berenjenas y pícala. Reserva tanto la carne picada como el resto de las berenjenas.

En una cazuela con un poquito de aceite rehoga el chorizo picado. Agrega el arroz, la carne de las berenjenas y los guisantes. Mezcla bien, pon a punto de sal y rellena con todo ello las berenjenas. Para preparar la bechamel, en un cazo, deshaz un trozo de mantequilla, añade un chorrito de aceite, rehoga 1 $^{1}/_{2}$ cucharada de harina y moja poco a poco con la leche, sin dejar de remover. Salpimenta.

Cubre las berenjenas rellenas con la bechamel y gratina en el horno durante 2-3 minutos.

Sirve acompañando con salsa de tomate caliente.

TIEMPO DE ELABORACIÓN: 20-25 MINUTOS

INGREDIENTES (4 p.): • 3 kiwis • 1 mango • 1 vaso de nata líquida • 3 yemas de huevo • 4 cuch. de azúcar • 1 copita de brandy.

ELABORACIÓN

Pela los kiwis y córtalos en rodajas. Pela el mango y pártelo también en lonchas. Colócalo todo en una fuente de horno.
En un bol, mezcla las yemas, el azúcar, el brandy y la nata.
Rocía con esta crema la fruta, gratínalo durante 3 o 4 minutos y sirve.

TIEMPO DE ELABORACIÓN: 15-20 MINUTOS

MENÚ 22

Primer plato

Ensalada de pasta y anchoas

Segundo plato

Merluza al papillote

Postre

Pastel de queso con melocotón

INGREDIENTES (4 p.): • 300 g de pasta (plumas o macarrones) • 16 anchoas frescas maceradas • 2 endibias • 2 tomates • 16 aceitunas negras • perejil picado • aceite de oliva • vinagre • albahaca • agua y sal.

ELABORACIÓN

Limpia las anchoas sacando sus filetes y pasándolas bajo el chorro de agua del grifo. Ponlos a macerar con sal y cubiertos de vinagre durante 1 hora. Transcurrido este tiempo, escúrrelos e introdúcelos en aceite. Esta operación puedes realizarla en la víspera.

Cuece la pasta en agua con sal y un chorro de aceite. Una vez cocida, refréscala con agua fría y escurre. Saltea la pasta en una sartén con un poco de aceite, albahaca y aceitunas.

Aparte, en agua hirviendo, escalda los tomates, pélalos y córtalos en rodajas. Colócalos en el fondo de una fuente y las endibias alrededor. Sazona y aliña. Coloca en el centro el salteado de pasta y encima los filetes de anchoa macerados. Espolvorea con perejil picado y sirve.

TIEMPO DE ELABORACIÓN: 15-20 MINUTOS

INGREDIENTES (4 p.): • 800 g de merluza (en tajadas) • 2 puerros • 2 tomates • 8 champiñones • 2 zanahorias • 4 espárragos • 3 dientes de ajo • sal y pimienta • perejil picado • vinagre • aceite de oliva.

ELABORACIÓN

Corta en juliana el puerro y la zanahoria. El tomate córtalo en rodajas finas y colócalas sobre un trozo de papel de aluminio doblado por la mitad. Encima pon la verdura en juliana y la merluza salpimentada. Sobre ella los espárragos en tiras y los champiñones troceados. Sazona y riega con un chorrito de aceite.

Cierra el papel de aluminio herméticamente, doblando los bordes. Mete al horno caliente 15 minutos a 170-180 grados.

Mientras horneas, en una sartén con un chorrito de aceite, prepara un sofrito con los dientes de ajo. Fuera del fuego y en templado echa un chorro de vinagre y perejil picado, tápalo. Cuando el pescado esté listo, agrégale por encima el sofrito y sirve.

TIEMPO DE ELABORACIÓN: 25-30 MINUTOS

PASTEL DE QUESO CON MELOCOTÓN

INGREDIENTES (6 p.): • 300 g de queso fresco (sin sal) • 1 bote pequeño de leche condensada • 3 huevos • 100 g de galletas • 1 melocotón en almíbar • 2 plátanos • un trocito de mantequilla.

ELABORACIÓN

Desmenuza las galletas y forra con ellas la base de un molde que habrás untado con un poco de mantequilla.

En un bol, mezcla con la batidora el queso troceado, los huevos y la leche condensada. Vierte la masa sobre el molde y hornea a 180 grados durante 20 minutos, hasta que cuaje.

Deja enfriar y desmolda.

Cubre el pastel con rodajas de melocotón y plátano.

TIEMPO DE ELABORACIÓN: 45-50 MINUTOS

MENÚ 23

Primer plato

Ensalada templada
de verduras

Segundo plato

Bacalao fresco
con salsa de
pimientos verdes

Postre

Pastel de queso con
kiwi y plátano

INGREDIENTES (4 p.): • unas verduras cocidas: 3 zanahorias, 3 puerros, 12 es-párragos verdes y 300 g de vainas • 1 berenjena • 100 g de lonchas de jamón se-rrano • 4 dientes de ajo • aceite de oliva • vinagre • sal.

ELABORACIÓN

En una sartén con aceite caliente, fríe la berenjena pelada en rodajas, sazona y co-lócalas en el fondo de una fuente.
En esa misma sartén con un poquito de aceite, saltea la verdura cocida y troceada. Disponla sobre las rodajas de berenjena y aliña con un chorrito de vinagre.
Aparte, prepara un refrito con los ajos picados y el jamón troceado. Añádeselo a la ensalada y sirve.

TIEMPO DE ELABORACIÓN: 15-20 MINUTOS

INGREDIENTES (4 p.): • 1 kg de bacalao fresco (tajadas) • $^{1}/_{2}$ pimiento morrón • 3 o 4 pimientos verdes • 1 cebolleta • 4 dientes de ajo • 2 guindillas de cayena • harina • aceite de oliva • 1 vaso de agua.

ELABORACIÓN

En una cazuela con un chorro de aceite pocha los pimientos verdes, la cebolleta y las guindillas picaditas. Cuando esté rehogado, agrega un vaso de agua y deja cocer sin tapa unos 10 minutos para que reduzca. Pasa por el pasapuré y reserva.
En una sartén con aceite, fríe los dientes de ajo enteros y con piel. Seguidamente, añade las tajadas de bacalao, sazonadas y enharinadas, fríelas durante 4 minutos por cada lado, poniéndolas primero con la piel hacia arriba. Escurre y reserva.
Pon la salsa de pimientos verdes en el fondo de una fuente o plato grande y coloca encima las tajadas de bacalao y los ajos fritos.
Decora con el pimiento rojo frito en aros y sirve.

TIEMPO DE ELABORACIÓN: 20-25 MINUTOS

INGREDIENTES (6 p.): • $^1/_2$ kg de requesón • 1 vaso de leche • $^1/_4$ de kg de azúcar • 1 cuch. de harina de maíz refinada • 3 huevos • unas pasas de corinto en licor • 2 kiwis • 2 plátanos • mantequilla y harina para el molde.

ELABORACIÓN

Echa en un recipiente el requesón, la leche, la harina de maíz refinada, el azúcar y los huevos. Bate todo con la batidora. Unta el molde con la mantequilla y la harina y echa la mezcla con las pasas. Mételo al horno a 160-170 grados durante 20 minutos. Después, desmolda el pastel y déjalo enfriar. Por último, decóralo con rodajas de kiwi y plátano.

TIEMPO DE ELABORACIÓN: 45-50 MINUTOS

MENÚ 24

Primer plato

Espaguetis a la crema de azafrán

Segundo plato

Guisantes con almejas

Postre

Frutas escondidas

INGREDIENTES (4 p.): • 320 g de espaguetis • 1 cuch. de harina • $^1/_4$ de l de leche • unas hebras de azafrán • queso rallado • un trozo de mantequilla • 1 diente de ajo • aceite de oliva • agua y sal.

ELABORACIÓN

Cuece la pasta en agua con sal y un chorro de aceite. Escurre, refresca y reserva. Para preparar la crema de azafrán, en una cazuela con mantequilla fundida dora el ajo picado. Añade la harina, rehoga y vete agregando la leche poco a poco y sin parar de remover. Condimenta con el azafrán. Pon a punto de sal y deja cocer unos minutos, removiendo hasta que espese.

Mezcla los espaguetis con la crema de azafrán y sirve en una fuente resistente al horno. Espolvorea con el queso y gratina durante 1 minuto aproximadamente.

TIEMPO DE ELABORACIÓN: 15-20 MINUTOS

INGREDIENTES (4 p.): • $^1/_2$ kg de guisantes desgranados • 300 g de almejas • $1^1/_2$ cebolla • 2 dientes de ajo • perejil picado • 1 cucharadita de harina • aceite, agua y sal.

ELABORACIÓN

En una cazuela con aceite, pocha 1 cebolla muy picada y 2 dientes de ajo. Sazona y añade los guisantes. Rehoga y cubre con agua caliente. Deja cocer unos 20 minutos. Para preparar la salsa verde, en una sartén con aceite, pocha el resto de la cebolla muy picada, añade la harina, rehoga y a continuación, las almejas.

Saltea y espolvorea con abundante perejil picado. Moja con el caldo de cocción de los guisantes (como un vaso). Espera a que se abran todas las almejas y pon a punto de sal.

Mezcla los guisantes con las almejas en salsa verde (mejor en una cazuela baja). Dale un hervor para que se mezclen los sabores y sirve.

TIEMPO DE ELABORACIÓN: 30-35 MINUTOS

INGREDIENTES (4 p.): • 1 o 2 manzanas • 1 mango • 10 frambuesas • 1 plátano • agua. **PARA LA PASTA QUEBRADA** (sobrará): • 250 g de harina • 125 g de mantequilla • 1 huevo • 1¹/₂ cuch. de agua.

ELABORACIÓN

Para preparar la pasta quebrada trabaja la mantequilla hasta dejarla a punto pomada. Después, añade el huevo, el agua y mezcla hasta conseguir una masa uniforme. Por último, echa la harina y amasa hasta que ésta sea totalmente absorbida.

Haz una especie de rollo y envuélvelo en una hoja de plástico. Déjalo reposar en el frigorífico durante 24 horas, antes de su utilización.

Pela las manzanas y el mango, pártelos por la mitad y córtalos en filetes. Colócalos intercalados en un molde de repostería y cubre con un círculo de pasta quebrada, lo más estirada posible. Hornea durante 20 minutos aproximadamente a 180 grados.

Tritura el plátano con las frambuesas y un poco de agua y pasa esta crema por un colador o un chino.

Por último, desmolda en un plato o fuente y acompaña con la crema de plátano y frambuesas.

**TIEMPO DE ELABORACIÓN: 30-35 MINUTOS,
MÁS LA ELABORACIÓN DE LA PASTA**

MENÚ 25

Primer plato

Espárragos a la plancha

Segundo plato

La primavera a la cazuela

Postre

Soufflé de mango

INGREDIENTES (4 p.): • 16 espárragos frescos • 200 g de bacalao y salmón ahumados • un puñado de aceitunas • 1 huevo cocido • aceite de oliva • sal y una pizca de azúcar • agua. **PARA LA SALSA MAHONESA:** • 2 huevos • $^1/_4$ de l de aceite de oliva • un chorro de vinagre • sal.

ELABORACIÓN

Corta la parte inferior de los espárragos y pélalos comenzando por la punta. Cuécelos en agua hirviendo con sal y una pizca de azúcar durante 15 minutos aproximadamente.

Para preparar la mahonesa, echa en una jarra los huevos, el aceite, un chorro de vinagre y una pizca de sal, y bátelo con la batidora empezando por el fondo de la jarra y subiendo poco a poco para evitar que se corte.

Fríe los espárragos bien escurridos, en una sartén con un poco de aceite, con cuidado de que no se rompan.

Por último, sírvelos en una fuente y decora con los pescados ahumados y en tiras, el huevo cocido picado y las aceitunas. Acompaña con la salsa mahonesa.

TIEMPO DE ELABORACIÓN: 25-30 MINUTOS

INGREDIENTES (4 p.): • 800 g de guisantes cocidos y su caldo • 3 riñones de cordero • 4 huevos • 1 cebolleta • 2 dientes de ajo • 1 cuch. de harina • aceite de oliva • sal y pimienta • perejil picado.

ELABORACIÓN

En una tartera con aceite pocha la cebolleta picada. Añade la harina y rehoga. Rápidamente, incorpora los guisantes con parte de su caldo y deja al fuego unos minutos.

Aparte, limpia los riñones, córtalos en lonchitas y salpimenta.

En una sartén con un chorrito de aceite y 2 dientes de ajo, cortados en láminas, fríe los riñones.

Añádeselos a la tartera con los guisantes. Estrella los huevos encima y gratina en el horno durante 3-5 minutos. Espolvorea con perejil picado y sirve.

TIEMPO DE ELABORACIÓN: 15-20 MINUTOS

SOUFFLÉ DE MANGO

INGREDIENTES (2 p.): • 1 o 2 mangos • 200 ml de leche • ¹/₂ cuch. de harina • 125 g de azúcar glas • 25 g de mantequilla • 3 yemas • 4 claras • mantequilla y harina para untar el molde.

ELABORACIÓN

Unta un molde con mantequilla y espolvoréalo con un poco de harina.

Mezcla 100 g de azúcar glas, media cucharada de harina y leche. Ponlo al fuego y cuando esté bien caliente retíralo y agrega la mantequilla y las yemas batidas, mezclándolo todo bien.

Pela el mango, retira el hueso, trocea y tritúralo con una batidora. Después, pásalo por un chino y añade este zumo al resto.

Por último, agrégalo poco a poco sobre las claras que habrás montado previamente, intentando que el resultado sea una masa esponjosa y uniforme.

Échalo al molde y hornéalo durante 30 minutos aproximadamente a 180 grados.

Sirve este soufflé espolvoreado con el resto del azúcar glas.

TIEMPO DE ELABORACIÓN: 50-55 MINUTOS

Verano

MENÚ 1

Primer plato

Tomates airbag

Segundo plato

Ijada con salsa de pimientos

Postre

Flan de cerezas

INGREDIENTES (4 p.): • 4 tomates hermosos • $^1/_2$ manita de cerdo cocida • 2 champiñones • 2 pimientos verdes pequeños • 2 dientes de ajo • 4 huevos • 50 g de jamón serrano • pan rallado • perejil picado • aceite de oliva y sal.

ELABORACIÓN

Corta la parte superior de los tomates y hazles un asiento cortando también la parte inferior. A continuación, vacíalos reservando la pulpa. Coloca los tomates en una fuente de horno, sazona y rocíalos con un poco de aceite. Hornea a 160-170 grados durante 10-12 minutos.

En una sartén con aceite saltea los ajos, los pimientos y los champiñones, todo picado. Sazona y añade parte de la pulpa del tomate. Déjalo pochar unos minutos. Una vez bien pochado, agrega la manita de cerdo picada, mezcla bien y rellena con este preparado los tomates ya horneados.

Por último, coloca encima de cada tomate un huevo. Espolvorea con pan rallado, perejil picado y sal. Gratínalos durante 2 minutos, hasta que cuajen los huevos. Sirve los tomates decorados con unas tiras de jamón serrano.

TIEMPO DE ELABORACIÓN: 25-30 MINUTOS

INGREDIENTES (4 p.): • 800 g de ijada de atún • aderezo provenzal (pan rallado, perejil picado y ajo picado) • 2 cebolletas • 1 pimiento rojo • aceite, sal y agua.

ELABORACIÓN

En una cazuela con aceite, pon a dorar el pimiento y las cebolletas troceadas. Sazona. Una vez doradas cubre con agua y déjalo hacer durante 10 minutos a fuego medio.

En otra cazuela ancha, dora con un poco de aceite la ijada previamente sazonada. A continuación, hornea a 180 grados durante 10 minutos.

Prepara una provenzal picando ajo y perejil y mézclalo con el pan rallado. Espolvorea con este preparado el atún y déjalo hacer otros 2-3 minutos.

Pasa la salsa de pimiento con una batidora y extiéndela en el fondo de una fuente. Coloca la ijada sobre ella y sirve.

TIEMPO DE ELABORACIÓN: 25-30 MINUTOS

INGREDIENTES (6-8 p.): • 200 g de pasta quebrada • 600 g de cerezas • 1 vaso de leche • $^1/_4$ de vaso de nata líquida • 3 huevos • 3 cuch. de azúcar • 1 rama de vainilla • mermelada de cereza.

ELABORACIÓN

Forra un molde con pasta quebrada u hojaldre. Hornea a 180 grados durante 15 minutos. Deja enfriar.

Bate los huevos con las semillas de vainilla, añade la leche, la nata y el azúcar. Sigue batiendo con una varilla.

Coloca las cerezas deshuesadas cubriendo la pasta quebrada.

Introduce el molde en el horno y vierte sobre las cerezas la crema anterior. Hornea a 175 grados durante 25-35 minutos.

Desmolda y unta el flan con mermelada de cereza para darle brillo. Sirve.

TIEMPO DE ELABORACIÓN: 1 HORA, MÁS LO QUE TARDE EN ENFRIAR

MENÚ 2

Primer plato

Ensalada al aroma de azafrán

Segundo plato

Pasta con almejas en salsa verde

Postre

Pastel de albaricoques

INGREDIENTES (4 p.): • 2 tomates • 1 pepino • unas hojas de lechuga • 4 champiñones • un puñado de aceitunas • $^1/_2$ cebolleta • 50 g de jamón de pato. **PARA LA VINAGRETA:** • unas hebras de azafrán • 6 cuch. de aceite de oliva • 2 cuch. de vinagre • sal y perejil picado.

ELABORACIÓN

Limpia bien todas las verduras.

En el borde de una fuente, coloca el tomate en gajos. A continuación y siguiendo la vuelta de la fuente, el pepino pelado y en rodajas. Añade en el centro la lechuga troceada y sobre ella, las lonchas de jamón de pato. Agrega también el champiñón en láminas y las aceitunas. Sazona las verduras. Por último, prepara la vinagreta: primero, tuesta ligeramente las hebras de azafrán envueltas en papel de aluminio. A continuación, desmenúzalas y échalas en un bol. Añade el aceite, el vinagre, sal y perejil picado. Bátela con un tenedor para que ligue.

Decora la ensalada con unos aros de cebolleta, aliña con la vinagreta y sirve.

TIEMPO DE ELABORACIÓN: 15-20 MINUTOS

INGREDIENTES (4 p.): • 300 g de pasta (tiburón) • 400 g de almejas • 2 dientes de ajo • $^1/_2$ cebolla • $^1/_2$ pimiento morrón • un trozo de guindilla seca • 1 cucharadita de harina • perejil picado • aceite, agua y sal.

ELABORACIÓN

Cuece la pasta en abundante agua hirviendo con sal. Escurre y reserva.

Sofríe, en una sartén con aceite, la cebolla picada y el ajo. Cuando esté bien pochado, añade la harina y rehoga. Incorpora las almejas. Saltea y moja con 1 vaso de agua (o caldo de pescado). Espolvorea con abundante perejil picado, agrega el trozo de guindilla y tapa la sartén. Espera a que se abran las almejas.

Aparte, en otra sartén con aceite, saltea el pimiento morrón muy picado. Sazona, agrega la pasta y vuelve a saltearlo todo junto.

Sirve la pasta en una fuente y en el centro las almejas en salsa verde puestas a punto de sal.

TIEMPO DE ELABORACIÓN: 20 MINUTOS

INGREDIENTES (6-8 p.): • 1 plancha de hojaldre • $^1/_2$ kg de albaricoques • 1 vaso de leche • 2 huevos • 2 cuch. de azúcar • 2 cuch. de harina de maíz refinada • 1 yogur de plátano • 1 copita de ron • gelatina de limón.

ELABORACIÓN

Forra un molde con el hojaldre y hornéalo, cubierto con garbanzos para que no suba, a 180 grados durante 15 minutos.

Disuelve la harina en un poco de leche. Añade el azúcar, los huevos y el resto de la leche. Calienta, removiendo con una varilla, hasta que espese. Añade un chorrito de ron y el yogur de plátano. Mezcla bien.

Cubre el hojaldre, ya frío, con la crema y coloca sobre ella los albaricoques cortados en gajos.

Hornea a 175 grados durante 10 minutos.

Prepara una gelatina siguiendo sus instrucciones y unta con ella el pastel de albaricoques. Sirve.

TIEMPO DE ELABORACIÓN: 40-45 MINUTOS

MENÚ 3

Primer plato

Ensalada con queso

Segundo plato

Alas rellenas con brochetas

Postre

Melón relleno

INGREDIENTES (4 p.): • 2 tomates de ensalada • 2 endibias • 1 pepino • 12 puntas de espárragos • 150 g de queso idiazábal • 3 guindillas en vinagre • sal. **PARA LA VINAGRETA:** • $^1/_2$ cebolleta • 4 guindillas en vinagre • 4 anchoíllas en aceite • 8 cuch. de aceite de oliva • 2 cuch. de vinagre • sal y perejil picado.

ELABORACIÓN

En el fondo de una fuente o plato, coloca los tomates en rodajas finas. A continuación, añade las hojas de endibia en toda la vuelta. Sobre ellas, las puntas de espárragos. Agrega también el pepino pelado y en rodajas. Decora con las guindillas.
Para preparar la vinagreta: en un bol pica las guindillas y las anchoíllas. Añade también la cebolleta muy picada. Aliña con sal, aceite y vinagre. Espolvorea con perejil picado. Bátela con un tenedor.
Sazona ligeramente la ensalada y adereza con la vinagreta.
Por último, añade el queso partido en triángulos finitos y sirve.

INGREDIENTES (4 p.): • 16 alas de pollo • 100 g de jamón serrano • 2 docenas de pimientos verdes • 3 dientes de ajo • harina • aceite • perejil picado • sal y pimienta.

ELABORACIÓN

Retira el primer hueso de cada ala. Rellena este hueco con un rollito de jamón. Adereza con pimienta y enharina las alas. Fríelas en una sartén con aceite junto con 3 dientes de ajo enteros y con piel.

Sirve las alas rellenas espolvoreadas con perejil picado y acompañadas con unas brochetas de pimientos verdes fritos y sazonados.

TIEMPO DE ELABORACIÓN: 25-30 MINUTOS

INGREDIENTES (4-6 p.): • 1 melón • 2 cuch. de azúcar • un chorrito de licor de cereza • un puñado de grosellas • unas hojas de menta y frambuesas para decorar.

ELABORACIÓN

Vacía la pulpa del melón con una cucharilla o sacabolas dándole forma de cesta a la corteza.

En un bol, mezcla las bolitas de melón con el azúcar, el licor y las grosellas.

Deja reposar unas 2 horas en el frigorífico.

Rellena con esta mezcla la corteza de melón, decora con unas hojas de menta, unas frambuesas y, si lo deseas, espolvoréalo con canela.

TIEMPO DE ELABORACIÓN: 20-25 MINUTOS

MENÚ 4

Primer plato

Crema
de calabacines

Segundo plato

Bonito y
atún encebollados

Postre

Crema
de plátanos

INGREDIENTES (4 p.): • 1 kg de calabacines • 1 cebolla • 2 patatas • 1 pimiento verde • unas rebanadas de pan • 50 g de queso mozzarella rallado • aceite, sal y agua o caldo.

ELABORACIÓN

Pica la cebolla y ponla a pochar en una cazuela con aceite. Añade las patatas peladas y troceadas. A continuación, incorpora el calabacín, también troceado y con piel. Por último, añade el pimiento verde picado. Rehógalo todo junto, sazona y cubre con agua. Cuécelo durante 15-20 minutos. Transcurridos, tritúralos con una batidora o un pasapuré y después lo pasas por el chino.

Sirve la crema de calabacín en una sopera y decora con un chorro de aceite crudo por encima.

Hornea las rebanadas de pan espolvoreadas con el queso rallado hasta que se derrita y acompaña con ellas la crema.

TIEMPO DE ELABORACIÓN: 25-30 MINUTOS

INGREDIENTES (4 p.): • $^1/_2$ kg de bonito y $^1/_2$ kg de atún (en rodajas) • 2 cebollas hermosas • 5 dientes de ajo • $^1/_2$ pimiento rojo • perejil picado • aceite • sal y pimienta.

ELABORACIÓN

En una sartén con aceite, echa las cebollas y el pimiento picado en juliana fina, junto con 3 dientes de ajo picados. Sazona y deja que se pochen a fuego lento unos 20-30 minutos.

En una sartén con aceite fríe, sin dejarlas secas, las rodajas de bonito y atún salpimentadas con 2 dientes de ajo enteros.

Sirve la fritada de cebolla en el fondo de una fuente y el atún y el bonito sobre ella espolvoreados con perejil.

TIEMPO DE ELABORACIÓN: 30-35 MINUTOS

CREMA DE PLÁTANOS

INGREDIENTES (6-8 p.): • 3 plátanos • $^1/_2$ l de leche • 2 huevos • 2 cuch. de harina de maíz refinada • 4 cuch. de azúcar • 1 ramita de vainilla • unas frambuesas.

ELABORACIÓN

En un bol, deshaz las yemas con un chorrito de leche. Añade 2 cucharadas de azúcar y la harina de maíz diluida en un poco de leche. Mézclalo todo bien. El resto de la leche hiérvela con la vainilla.

Añade la mezcla de las yemas poco a poco y sigue calentando a fuego suave sin parar de remover.

Agrega 2 plátanos aplastados y mezcla bien. Sigue calentando y removiendo durante 5 minutos hasta que espese.

Sirve en una fuente la crema de plátanos y decora con 1 plátano en rodajas, unas frambuesas y montoncitos de clara montada a punto de nieve con 2 cucharadas de azúcar.

TIEMPO DE ELABORACIÓN: 25-30 MINUTOS

MENÚ 5

Primer plato

Empanada de bacalao

Segundo plato

Salmonetes a la menta

Postre

Copa de la casa

INGREDIENTES (4-6 p.): • huevo batido • salsa de tomate para acompañar. **PARA LA MASA:** • 500 g de harina • 10 g de levadura • $^1/_2$ cuch. (de café) de sal • agua • 100 g de mantequilla • 2 huevos. **PARA EL RELLENO:** • $^1/_2$ kg de bacalao desalado y desmigado • 1 cebolla • 1 pimiento verde • 1 pimiento rojo morrón • 3-4 dientes de ajo • aceite y sal.

ELABORACIÓN

Para preparar la masa, mezcla la harina con la sal. Añade la levadura disuelta en agua tibia, incorpora la mantequilla a punto pomada y los huevos. Mezcla todo bien, hasta conseguir una masa homogénea y déjala reposar tapada durante 30 minutos. Aparte, pocha en aceite a fuego lento, la cebolla, el pimiento verde y el rojo, todo en juliana, junto con los ajos troceados. Sazona. Transcurridos unos 15 minutos, agrega el bacalao desmigado y mantén al fuego 2-3 minutos más salteando. Divide la pasta en dos partes. Estira bien. Con una parte forra un recipiente (untado con aceite). Vierte el relleno y tapa con la otra parte de la masa. Reserva unas tiras para adornar. Pinta con huevo batido sellando los bordes. Adorna con unas tiras de masa y unta con huevo. Antes de meterla al horno, haz unos pequeños agujeros en el centro (3 o 4), con el fin de que salga el vapor y no suba. Mete al horno caliente a 180 grados unos 35-40 minutos.
Sirve la empanada de bacalao acompañada de la salsa de tomate caliente.

TIEMPO DE ELABORACIÓN: $1^1/_2$-$1^3/_4$ HORAS

INGREDIENTES (4 p.): • 1 kg de salmonetes • 2 tomates • unas hojas de menta fresca • 2 dientes de ajo • sal, aceite y agua • $^1/_2$ limón.

ELABORACIÓN

Escalda los tomates unos segundos en agua hirviendo y pélalos.
En una sartén con aceite, fríe los ajos fileteados. Agrega los tomates muy picados.
Rehoga y añade las hojas de menta. Déjalo hacer unos 5 minutos.
Mientras, limpia y filetea los salmonetes retirándoles las espinas. Sazona los filetes por ambos lados y fríelos en una sartén con aceite.
Cubre el fondo de una fuente o plato con el tomate a la menta y coloca encima los salmonetes.
Sirve adornado con unas hojas de menta y medio limón.

INGREDIENTES (4-6 p.): • $^{1}/_{2}$ brazo de gitano relleno de crema • 4-6 bolas de helado • 2 puñados de almendras garrapiñadas • un puñado de fresas (silvestres) • 16-24 cerezas • 300 g de chocolate hecho.

ELABORACIÓN

Corta el brazo de gitano en rodajas y repártelas en el fondo de los platos o copas. Coloca en el centro las bolas de helado y vierte por encima el chocolate. Espolvorea con trocitos de almendras garrapiñadas y por último, decora este postre con las cerezas y las fresas.

TIEMPO DE ELABORACIÓN: 10-12 MINUTOS

MENÚ 6

Primer plato

Ensalada de espinacas y zanahorias

Segundo plato

Barbacoa completa

Postre

Tiramisú

INGREDIENTES (4 p.): • 250 g de espinacas • 4 zanahorias • 2 patatas cocidas • 1 aguacate • 100 g de habas frescas cocidas • 100 g de nueces peladas y tostadas • aceite y sal. **PARA LA VINAGRETA:** • 8 anchoíllas en conserva • 1 diente de ajo • 8 cuch. de aceite de oliva • 2 cuch. de vinagre de sidra • sal.

ELABORACIÓN

Limpia y trocea las espinacas retirándoles los rabitos (si la hoja es pequeña no hace falta trocearlas).

Pela las patatas y colócalas en rodajas en el fondo de una fuente o plato. A continuación, las espinacas en el borde. Añade las zanahorias en tiras (puedes ayudarte con un pelador) en el centro junto con el aguacate pelado y troceado.

En una sartén con aceite, saltea las habas con las nueces tostadas.

Coloca el salteado sobre la ensalada y sazónala ligeramente.

Por último, prepara la vinagreta: en un bol, mezcla las anchoas picadas con aceite de oliva y vinagre. Bate con un tenedor para que ligue. Añade también 1 diente de ajo muy picado. Pon a punto de sal y aderaza con esta vinagreta la ensalada. Sirve.

TIEMPO DE ELABORACIÓN: 20-25 MINUTOS

INGREDIENTES (4 p.): • 400 g de costillas de ternera • 16 chuletillas de cordero • 2 muslos de pollo deshuesados • 4 chorizos • aceite y sal • 1 limón y 1 naranja para decorar. **PARA ACOMPAÑAR.** Salsa: • pimiento verde y rojo, ajo, y cebolla • sal, tomillo y perejil picado • aceite de oliva y zumo de limón. Ensalada al gusto.

ELABORACIÓN

Unta la parrilla con aceite. Sazona las diferentes carnes, úntalas también con un poco de aceite y colócalas sobre la parrilla.

Hazlas por los dos lados, teniendo en cuenta que el tiempo de asado dependerá del grosor y tipo de carne.

Prepara una salsa para acompañar: en un bol, mezcla las hortalizas muy picadas. Adereza con sal, tomillo, aceite y jugo de limón. Mezcla bien, batiendo para que ligue.

Sirve la barbacoa de carnes con la salsa. Decora con una naranja y un limón. Acompaña con una ensalada al gusto.

TIEMPO DE ELABORACIÓN: 50-60 MINUTOS

INGREDIENTES (6-8 p.): • 200 g de crema de queso • 200 ml de nata montada • 3 claras de huevo • 150 g de azúcar • 24 bizcochos de soletilla • 6 tazas de café • cacao en polvo (amargo) • 3 cuch. de licor de almendras.

ELABORACIÓN

En un bol, bate el queso con el azúcar y añade el licor. Agrega la nata montada y las claras a punto de nieve y mezcla con ayuda de una varilla.

Dispón una capa de bizcochos en el fondo de un molde (de unos 20 cm de hondo) y úntalos con el café con ayuda de una brocha. Pon sobre ellos una capa de crema de queso y espolvorea con cacao en polvo. Repite esta operación hasta rellenar el molde, terminando con una capa de queso espolvoreado con cacao.

Introduce en el frigorífico alrededor de 2 horas y sirve.

TIEMPO DE ELABORACIÓN: 20 MINUTOS

MENÚ 7

Primer plato

Ensalada de chipirones y atún

Segundo plato

Paella de verano

Postre

Helado de naranja

INGREDIENTES (4 p.): • 350 g de chipirones • 8 hojas de lechuga (hoja de roble) • 1 tomate hermoso • 8 anchoas en salazón • 200 g de atún en conserva • 1 diente de ajo • sal y aceite • perejil picado. **PARA LA VINAGRETA:** • 1 yema de huevo cocido • ¹/₂ cebolleta • 8 cuch. de aceite de oliva • 2 cuch. de vinagre • sal.

ELABORACIÓN

Coloca el tomate cortado en gajos en el borde de una fuente intercalándolos con trozos de atún. Pon en el centro la lechuga cortada en juliana.

Limpia los calamares, córtalos en aros, sazona y saltéalos en una sartén con aceite y 1 ajo en láminas. Espolvorea con perejil.

Dispón estos aros sobre la lechuga. Agrega también unas anchoas.

Para preparar la vinagreta: en un bol, pica la yema de huevo y la cebolleta. Añade sal, aceite y vinagre. Bate ligeramente con un tenedor para que ligue. Aliña con esta vinagreta la ensalada y sirve.

TIEMPO DE ELABORACIÓN: 15-20 MINUTOS

INGREDIENTES (4-6 p.): • 400 g arroz • 1 muslo y 1 pechuga de pollo (deshue-sados) • 200 g de mejillones • 200 g de rape limpio • 3 calamares • ¹/₂ cebolla • 2 za-nahorias • ¹/₂ pimiento morrón • 2 dientes de ajo • unas hebras de azafrán • acei-te, agua y sal • 1 limón.

ELABORACIÓN

En una paellera (paella) con aceite, rehoga la cebolla, el pimiento rojo, las zana-horias y los dientes de ajo, todo bien picado. Cuando comiencen a dorarse las ver-duras, añade el pollo troceado y los calamares limpios y también troceados. Sigue rehogando durante unos minutos. Incorpora el arroz, rehoga de nuevo y moja con el doble de medida de agua (caliente) que de arroz y un poco más.

Echa las hebras de azafrán tostadas ligeramente y desmenuzadas. Pon a punto de sal. Después de 5-6 minutos, cuando hierva a borbotones, añade el rape troceado y los mejillones.

Hornea a 200 grados durante 5 minutos.

Decora la paella con el limón y deja reposar otros 5 minutos tapada con un paño limpio. Sirve.

TIEMPO DE ELABORACIÓN: 40-45 MINUTOS

INGREDIENTES (6-8 p.): • ralladura de corteza de 4 naranjas • 200 g de azúcar • 4 cuch. de agua • 250 g de nata semimontada • 8 hojas de menta picadas • un chorro de licor de naranja (opcional) • cucuruchos y galletas de corte.

ELABORACIÓN

En una sartén, prepara un jarabe espeso calentando el azúcar con la ralladura de naranja y un poco de agua. Una vez hecho, déjalo templar.

En un bol, mezcla la nata semimontada con el jarabe ya frío, el licor y las hojas de menta bien picadas.

Echa este preparado en un molde y congélalo de 4 a 6 horas.

Sirve el helado de naranja en cucuruchos o galletas de corte.

TIEMPO DE ELABORACIÓN: 25-30 MINUTOS

MENÚ 8

Primer plato

Ensalada de conejo en escabeche

Segundo plato

Cazuela de pescado

Postre

Melocotones asados con cerezas

INGREDIENTES (4 p.): • 1 kg de conejo en escabeche • 1 endibia • 1 patata cocida • 1 escarola • 1 pimiento morrón asado y pelado • unas rebanadas de pan frito.
PARA LA VINAGRETA: • 1 tomate • caldo del escabeche • aceite de oliva • sal gorda.

ELABORACIÓN

Limpia bien toda la verdura.

En el fondo de una fuente o plato, coloca la patata, pelada y en rodajas. Pon alrededor la escarola alternando con hojas de endibia. Añade el conejo deshuesado en
el centro y decora con el pimiento en tiras.

En un bol, prepara una vinagreta con el tomate pelado y troceado, sal, aceite y el
caldo del escabeche.

Sazona la ensalada y aliña con la vinagreta. Sirve con los panes fritos.

TIEMPO DE ELABORACIÓN: 15 MINUTOS

INGREDIENTES (4 p.): • 1 patata • 2 cuch. de arroz • 250 g de almejas • 4 ijadas de merluza • 1 cebolla • 1 pimiento verde • 1 tomate • 1 diente de ajo • perejil picado • aceite, sal y agua.

ELABORACIÓN

En una cazuela con aceite, pocha la cebolla, 1 diente de ajo, el pimiento y el tomate, todo muy picado. Añade la patata pelada en rodajas gruesas y el arroz. Rehoga bien, cubre con agua, pon a punto de sal y deja cocer a fuego medio durante 15 minutos.

Sazona y trocea las ijadas de merluza y añádeselas a la cazuela. Guisa durante 4 minutos dándoles la vuelta. Por último, agrega las almejas y espolvorea con perejil picado.

Tapa la cazuela y espera 2-3 minutos hasta que se abran las almejas. Sirve.

TIEMPO DE ELABORACIÓN: 30-35 MINUTOS

INGREDIENTES (4 p.): • 4 melocotones maduros • 400 g de cerezas • 4 cuch. de azúcar • 1 taza de agua (aprox.) • nata montada.

ELABORACIÓN

Lava bien la fruta. A continuación, coloca los melocotones y las cerezas en un bol resistente al horno. Añade el azúcar y el agua (la cantidad dependerá del tipo de melocotón).

Hornea a 175 grados durante 20-30 minutos. Déjalo enfriar y refrigéralo en la nevera.

Sirve los melocotones asados con cerezas bien fríos con su jugo y decóralos con la nata montada.

TIEMPO DE ELABORACIÓN: 35-40 MINUTOS

MENÚ 9

Primer plato

Ensalada de bonito fresco con pasta

Segundo plato

Lomos de cabracho al tomillo

Postre

Tortilla de cerezas

INGREDIENTES (4 p.): • 300 g de pasta (espirales) • 300 g de bonito o atún fresco • 2 cebolletas • 1 diente de ajo • aceite y agua • sal y pimienta • perejil picado • unos pepinillos en vinagre. **PARA LA VINAGRETA:** • $^1/_2$ tomate • 2 pimientos verdes • 6 cuch. de aceite de oliva • 2 cuch. de vinagre • sal.

ELABORACIÓN

Cuece la pasta en agua hirviendo con sal y un chorrito de aceite, escúrrela, pásala por agua fría y reserva.

Corta el bonito o atún en tacos y salpiméntalos.

Saltéalos en una sartén con aceite y 1 diente de ajo en láminas, durante 4-5 minutos. Espolvorea con perejil picado.

En un bol, prepara una vinagreta: pica muy fino el tomate y los pimientos. Añade sal, aceite y vinagre. Bátelo con un tenedor para que ligue.

Coloca la pasta en el fondo de una fuente o plato. Sirve por encima el bonito salteado. Aliña con la vinagreta.

Por último, decora con los pepinillos en vinagre y las cebolletas en juliana.

TIEMPO DE ELABORACIÓN: 20-25 MINUTOS

INGREDIENTES (4 p.): • 2 cabrachos hermosos en lomos • 3 tomates maduros • 2 dientes de ajo • 1 cebolleta • 1 vasito de vino blanco • tomillo picado • perejil picado • aceite y sal • harina • agua • 1 limón • una ramita de perejil • una pizca de perejil.

ELABORACIÓN

En una cazuela con agua hirviendo, escalda durante medio minuto los tomates. A continuación, pélalos y quítales las pepitas.

Pela y filetea los ajos y rehógalos en una sartén con aceite junto con la cebolla picada. Sazona. Añade el tomate troceado y el tomillo. Vierte el vino blanco y deja reducir 10 minutos a fuego no muy fuerte. Agrega también una pizca de azúcar.

Limpia los cabrachos y saca los lomos. Sazona y condimenta con tomillo y perejil picado. Pásalos por harina y fríe en aceite bien caliente. Sirve los lomos de cabracho en una fuente con el fondo cubierto con la fritada de tomate y decora con el limón y la rama de perejil frito.

TIEMPO DE ELABORACIÓN: 30-35 MINUTOS

INGREDIENTES (4-6 p.): • 4 huevos • 100 g de azúcar • 100 g de mantequilla • $^{1}/_{2}$ kg de cerezas • 1 vaso de licor de naranja o aguardiente de cereza • una pizca de sal y una pizca de azúcar.

ELABORACIÓN

Rehoga las cerezas deshuesadas con la mitad de la mantequilla. Agrega el azúcar y deja hacer hasta que se pochen.

En un bol, bate los huevos con una pizca de sal y otra de azúcar. Agrega las cerezas bien escurridas y mézclalo todo bien. Reserva el jarabe de las cerezas.

En una sartén, derrite el resto de la mantequilla y cuaja la mezcla anterior como para preparar una tortilla.

Sirve la tortilla de cerezas con el jarabe que habrás reservado y flambéala con el licor que previamente habrás calentado.

TIEMPO DE ELABORACIÓN: 30-35 MINUTOS

MENÚ 10

Primer plato

Ensalada de endibias con pollo

Segundo plato

Huevos con jamón gratinados

Postre

Horchata de chufas

INGREDIENTES (4 p.): • 2 endibias • 2 pechugas de pollo • $^1/_2$ lechuga • 8 langostinos • 1 tomate • 1 diente de ajo • aceite • sal y pimienta • perejil picado. **Para la vinagreta:** • $^1/_2$ tomate • 8 cuch. de aceite de oliva • 2 cuch. de vinagre • 2 guindillas en vinagre y sal.

ELABORACIÓN

Corta la lechuga, bien limpia y colócala en un lado de una fuente, y en el otro lado, las hojas de endibia. Coloca en el centro el tomate en rodajas.

A continuación, saltea en una sartén con aceite las pechugas troceadas y salpimentadas con 1 diente de ajo picado.

Espolvorea con perejil picado y colócalas sobre las rodajas de tomate.

Saltea las colas de langostinos sazonadas y disponlas sobre las hojas de endibia.

Para preparar la vinagreta: echa en un bol el tomate y las guindillas, todo picado. Aliña con aceite, vinagre y sal. Bátelo con un tenedor para que ligue.

Sazona la lechuga y las endibias y adereza con la vinagreta. Sirve.

TIEMPO DE ELABORACIÓN: 15-20 MINUTOS

INGREDIENTES (4 p.): • 4 huevos • 8 lonchas de jamón ibérico • 200 g de pasta cocida (cintas) • 2 dientes de ajo • aceite, vinagre, agua y sal. PARA LA SALSA BE-CHAMEL: • 4 cucharaditas de harina • 1 vaso de leche • 2 lonchas de jamón serrano • aceite • perejil picado, sal y nuez moscada. GUARNICIÓN: • 1 diente de ajo • $^{1}/_{2}$ cebolla roja • 1 tomate maduro pelado • 1 pimiento verde • aceite y sal.

ELABORACIÓN

En un cazo, dora con un poco de aceite un par de lonchas de jamón muy picadas. Agrega la harina, rehoga y vierte la leche poco a poco y sin parar de remover. Condimenta con sal, perejil picado y nuez moscada. Sigue removiendo hasta conseguir una bechamel espesita.

En una sartén con aceite, dora los 2 ajos fileteados.

Añade la pasta cocida y bien escurrida y saltéala unos minutos. Colócala en el fondo de una fuente.

Aparte, en una cazuela con agua hirviendo y un chorrito de vinagre, escalfa los huevos. Sácalos con ayuda de una espumadera y disponlos sobre la pasta. Cubre con las lonchas de jamón y napa por último con la salsa bechamel. Gratínalo hasta que se dore. Sirve este plato acompañado con una fritada de pimiento, cebolla, tomate y ajo, sazonada con sal gorda.

TIEMPO DE ELABORACIÓN: 25-30 MINUTOS

INGREDIENTES (4-6 p.): • 300 g de chufas • 250 g de azúcar • una corteza de limón • $1^1/_2$ l de agua • canela y unas hojas de menta.

ELABORACIÓN

Limpia bien las chufas y ponlas a remojo durante 12 horas, cambiándolas el agua. Enjuágalas abundantemente. Tritúralas con el agua, el azúcar y el limón con la batidora. Deja reposar 2-3 horas en la nevera.

Cuélala por un chino o pásala por una tela fina.

Sirve la horchata muy fría, casi helada, con una pizca de canela y unas hojas de menta.

MENÚ 11

Primer plato

Ensalada con salsa de yogur

Segundo plato

Pechugas de pollo con salsa de tomate

Postre

Pastel blanco con frutas

INGREDIENTES (4 p.): • 150 g de habas tiernas cocidas • 4 langostinos • 1 remolacha cocida • 1 lechuga • 2 tomates • 1 diente de ajo • unas hojas de albahaca • 125 g de yogur natural • aceite de oliva y sal.

ELABORACIÓN

Limpia bien toda la verdura.

En el borde de una fuente coloca las hojas de lechuga. A continuación, añade los tomates partidos en gajos.

Prepara un salteado con los langostinos pelados, troceados en dados y sazonados, 1 diente de ajo y la albahaca, ambos picados y las habitas cocidas. Coloca este salteado en el centro de la fuente.

Agrega la remolacha en rodajas sobre el tomate.

Por último, prepara la salsa mezclando en un bol el yogur con aceite de oliva (como 4 cucharadas).

Sazona la ensalada y salsea.

TIEMPO DE ELABORACIÓN: 15-20 MINUTOS

INGREDIENTES (4 p.): • 4 pechugas de pollo • harina, huevo y pan rallado • aceite. PARA LA SALSA BECHAMEL: • un trozo de mantequilla • 3 cucharaditas de harina • 2 vasos de leche • sal. PARA LA SALSA DE TOMATE: • 1 cebolla • 2 dientes de ajo • 5 tomates maduros • aceite, sal y azúcar.

ELABORACIÓN

Prepara una salsa de tomate con sus ingredientes: en una sartén con aceite, pon a pochar la cebolla y los ajos picados. Añade una pizca de sal y otra de azúcar. Incorpora los tomates troceados. Déjalo hacer a fuego lento durante 30 minutos aproximadamente. A continuación, pasa por la batidora o el pasapuré.

Prepara también una salsa bechamel: en una cazuela derrite la mantequilla. Rehoga la harina y vete añadiendo la leche poco a poco y sin parar de remover hasta que ligue. Sazona y deja hacer a fuego lento unos minutos.

Filetea las pechugas y pásalas por la bechamel. Déjalas enfriar en la nevera y empánalas pasándolas por harina, huevo batido y pan rallado.

Fríelas en una sartén con aceite bien caliente hasta que se doren.

Sirve las pechugas con la salsa de tomate.

TIEMPO DE ELABORACIÓN: 35-40 MINUTOS

INGREDIENTES (6-8 p.): • 5 cuch. de arroz • 1 l de leche • 5 huevos • 1 taza de azúcar • 5 cuch. de coco rallado • un puñado de nueces picadas • un puñado de frutas confitadas (picadas) • 1 corteza de limón • caramelo para untar el molde. PARA DECORAR: • nata montada, 1 pera confitada y unas hojas de menta.

ELABORACIÓN

Cuece el arroz con la leche y una corteza de limón, a fuego lento durante 35-45 minutos.

Agrega el azúcar, deja hacer otros 5 minutos y retíralo del fuego. Deja enfriar y retira el limón.

Añade el coco, las nueces, las frutas confitadas y picadas y mezcla bien.

Incorpora también los huevos y sigue mezclando.

Vierte este preparado en un molde de flan caramelizado y hornéalo a 175 grados al baño maría durante 30-40 minutos.

Desmolda en frío y sirve decorado con nata, una pera confitada y unas hojas de menta.

TIEMPO DE ELABORACIÓN: 70-80 MINUTOS

MENÚ 12

Primer plato

Ensalada de patata con vinagreta

Segundo plato

Brocheta de rape con pimientos asados

Postre

Flan de melocotón

INGREDIENTES (4 p.): • 300 g de patata cocida • unas hojas de lechuga • 1 pepino • 1 cebolleta • 4 huevos cocidos • sal. **PARA LA VINAGRETA:** • 1 cuch. de mostaza • 1 diente de ajo • perejil picado • aceite de oliva • vinagre y sal.

ELABORACIÓN

Pela las patatas, córtalas en rodajas no muy finas y cubre con ellas el fondo de una fuente.

Coloca las hojas de lechuga bien limpias alrededor de las patatas. Sobre estas últimas, dispón el pepino pelado y en rodajas. Pela los huevos cocidos, separa las yemas de las claras y añade estas últimas troceadas. Agrega también la cebolleta picadita. Sazona.

Por último, prepara una vinagreta: en un bol echa perejil y ajo picado. Adereza con aceite de oliva, vinagre y mostaza. Bate con un tenedor hasta que ligue. Sazona y viértela sobre la ensalada.

Decora con las yemas pasadas por el pasapuré.

TIEMPO DE ELABORACIÓN: 15-20 MINUTOS

INGREDIENTES (4 p.): • 8 trozos de rape • 8 trozos de pimiento verde • 4 tomates pequeños • 8 trozos de bacon • 2 pimientos morrones • 1 limón • aceite y sal.

ELABORACIÓN

Pon a asar los pimientos morrones en una placa de horno untados con aceite y sal. Hornéalos a 170 grados durante 15-20 minutos. Pélalos y córtalos en tiras.
Vete montando las brochetas alternando 2 trozos de rape, 2 de bacon, 2 de pimiento y un tomatito. Sazona y fríelas en una sartén con un poco de aceite.
Sirve las brochetas decoradas con un limón y acompañadas con una ensalada de pimientos asados con sal y aceite de oliva.

TIEMPO DE ELABORACIÓN: 30 MINUTOS

INGREDIENTES (6-8 p.): • $^1/_2$ kg de melocotón en almíbar o natural • 1 vaso grande de leche • 4 huevos • 4 cuch. de azúcar • caramelo para untar el molde. **PARA ACOMPAÑAR Y DECORAR:** • gelatina de sabores • nata montada • unas frambuesas • unas hojas de menta.

ELABORACIÓN

Echa en una jarra el melocotón, la leche, los huevos y el azúcar. Tritúralo todo con una batidora hasta obtener una mezcla uniforme.

Repártela en moldes individuales previamente caramelizados.

Hornéalos al baño maría a 175 grados de 15 a 20 minutos, hasta que cuajen.

Sirve los flanes decorados con nata, trocitos de gelatina, frambuesas y hojas de menta.

MENÚ 13

Primer plato

Ensalada de pescados marinados

Segundo plato

Pollo casero

Postre

Crema de aguacate

INGREDIENTES (4 p.): • 2 salmonetes • 1 chicharro pequeño • 12 anchoas • 2 patatas cocidas • unas hojas de lechuga • 2 remolachas cocidas • $^1/_2$ pimiento asado y pelado. PARA LAS DIFERENTES MARINADAS: • aceite de oliva • vinagre • zumo de limón • 1 diente de ajo • una hoja de laurel • sal. PARA EL ALIÑO: • aceite de oliva, zumo de limón y sal.

ELABORACIÓN

Limpia bien todo el pescado y filetéalo. En boles separados, pon a marinar los diferentes pescados: el salmonete cubierto con aceite de oliva con una pizca de sal, el zumo de un limón y una hoja de laurel. El chicharro o jurel con 1 vaso de aceite, medio vaso de vinagre, 1 diente de ajo picado y sal. Marina las anchoas con vinagre y sal alrededor de 2 horas en la nevera. El líquido deberá cubrirlas. Transcurrido este tiempo, retira el vinagre y vuélvelas a cubrir, esta vez con aceite.
Para montar la ensalada, coloca en el fondo de una fuente las patatas cocidas, peladas y en rodajas. Alrededor de ellas añade la lechuga bien limpia y cortada en juliana. Sazona. Dispón las anchoas sobre la lechuga. En una sartén con aceite, dora los filetes marinados de salmonete y chicharro. Colócalos, alternando ambos tipos de pescado, sobre la patata. Decora con unas rodajas de remolacha y unas tiras de pimiento asado. Por último, aliña con sal, aceite de oliva y zumo de limón. Sirve.

TIEMPO DE ELABORACIÓN: 15-20 MINUTOS, MÁS EL MARINADO

INGREDIENTES (4 p.): • 1 pollo de 1,5 kg aprox. • 1 cebolla • 2 tomates • 4 dientes de ajo • 1 vaso de caldo de verduras o ave • 1 cuch. de harina • 1 copita de brandy • 200 g de berros • aceite de oliva • vinagre • sal y pimienta.

ELABORACIÓN

En una sartén con aceite, fríe el pollo limpio, troceado y salpimentado. Reserva una vez frito.

En la misma sartén, pocha la cebolla y el ajo muy picaditos. Seguidamente, añade el tomate troceado y la harina. Sazona y echa el brandy junto con el caldo de verduras.

Sirve el pollo, salsea y acompáñalo con una ensalada de berros, bien limpios, aliñados con sal, aceite de oliva y vinagre.

TIEMPO DE ELABORACIÓN: 50-60 MINUTOS

INGREDIENTES (6-8 p.): • 3 aguacates maduros • 250 g de leche condensada • una pizca de canela • 1 vaso grande de agua • hielo • unas grosellas y unas hojas de menta.

ELABORACIÓN

Pela los aguacates, retira el hueso y trocéalos.

Échalos en un bol con la leche condensada, un poco de agua y una pizca de canela. Bate todo y cuando quede una crema fina, colócala en unas copas individuales con unos cubitos de hielo y unas grosellas en el fondo.

Decora con grosellas y hojas de menta y sirve muy frío.

TIEMPO DE ELABORACIÓN: 10-15 MINUTOS

MENÚ 14

Primer plato

Arroz negro con calamares

Segundo plato

Chicharro con tomate al horno

Postre

Mousse de limón

INGREDIENTES (4 p.): • 400 g de arroz • 3 calamares • 1 cebolla • 1 tomate • 1 zanahoria • 12 almejas • 1 diente de ajo • agua • aceite de oliva • sal y perejil picado.

ELABORACIÓN

Pica muy fina la verdura: la cebolla, el tomate, la zanahoria y 1 diente de ajo. Rehoga en una cazuela con aceite y sal durante unos minutos.

Mientras, limpia los calamares, reservando las tintas.

Corta los calamares en aros y añádeselos a la verdura cuando esté bien pochada. Agrega las tintas machacadas en un mortero con sal gorda y un chorrito de agua. Añade el arroz, rehoga y moja con el agua (el doble que de arroz y un poco más). Pon a punto de sal y cuécelo durante unos 18 minutos. Deja reposar.

Saltea las almejas en una sartén con aceite hasta que se abran y espolvoréalas con perejil picado.

Sirve el arroz negro con las almejas.

INGREDIENTES (4 p.): • 1 kg de chicharro • 2 tomates maduros • 2 patatas • 1 cebolla • perejil picado • aceite de oliva y sal.

ELABORACIÓN

Pela las patatas, fríelas en rodajas y colócalas sobre una fuente de horno.
En otra sartén con aceite, pocha la cebolla con el tomate, todo picado. Sazona y rehoga durante 6-8 minutos.
Limpia el chicharro, pártelo por la mitad y colócalo sazonado sobre las patatas.
Cúbrelo con la fritada de verdura y hornéalo durante 5 minutos a 180-190 grados.
Sirve los chicharros espolvoreados con perejil picado.

INGREDIENTES (6-8 p.): • 4 yogures de limón • $^1/_2$ l de nata montada • ralladura de 1 limón • 100 g de azúcar • unas guindas y frambuesas • unas hojas de menta y canela en polvo.

ELABORACIÓN

Mezcla en un bol con una varilla, el azúcar, los yogures y la ralladura de limón. Agrega la nata montada y sigue mezclando.

Sirve muy frío en copas individuales. Adorna con canela en polvo, guindas, frambuesas y unas hojas de menta.

TIEMPO DE ELABORACIÓN: 10-15 MINUTOS

MENÚ 15

Primer plato

Ensalada de arroz al aroma de laurel

Segundo plato

Gallos al vermut blanco

Postre

Suspiros de Bilbao

INGREDIENTES (4 p.): • 250 g de arroz • 2 hojas de laurel • $^1/_2$ cebolla blanca • $^1/_2$ cebolla roja • 1 pimiento verde • 1 zanahoria • 1 remolacha cocida • 6 pepinillos en vinagre • 2 huevos cocidos • 16 aceitunas sin hueso • aceite de oliva • vinagre • agua y sal.

ELABORACIÓN

Cuece el arroz en agua con sal y las hojas de laurel durante 20 minutos. Escurre y refresca.

Pica muy fino las dos clases de cebollas, el pimiento verde y las aceitunas (reserva algunas). Agrégaselo todo al arroz cocido. Añade un poco de sal, 4-6 cucharadas de aceite y 2 de vinagre. Una vez bien mezclado, colócalo en una fuente y agrega, decorando, la remolacha en rodajas, los huevos en cuartos, los pepinillos, las aceitunas partidas por la mitad y la zanahoria en tiras.

Aliña con sal y aceite. Sirve.

TIEMPO DE ELABORACIÓN: 25-30 MINUTOS

INGREDIENTES (4 p.): • 800 g de filetes de gallo • 8 langostinos • 100 g de judías verdes cocidas • 1 puerro • 200 g de setas de cultivo • 2 dientes de ajo • $^1/_2$ vaso de vermut blanco seco • $^1/_2$ vaso de nata líquida • aceite de oliva • agua, sal y unos granos de pimienta negra.

ELABORACIÓN

En una vaporera con agua, unos granos de pimienta, sal y el puerro en juliana, pon a cocer los filetes de pescado.

En un poco de aceite pon a pochar los ajos picados y las setas limpias y troceadas. Sazona, añade el vermut y la nata líquida, dejándolo reducir 4-5 minutos.

Aparte, saltea en una sartén con un poco de aceite los langostinos pelados y salpimentados y las vainas cocidas y cortadas en tiras.

Sirve los filetes de gallo en una fuente o plato con el fondo cubierto con la salsa de vermut. Decora con el salteado de langostinos y judías verdes.

TIEMPO DE ELABORACIÓN: 15-20 MINUTOS

INGREDIENTES (para 30 unidades aprox.): • 5 huevos • 185 g de harina • 75 g de almendras picadas • 125 g de azúcar glas • 125 g de mantequilla • huevo batido para untar • canela en polvo y azúcar para espolvorear.

ELABORACIÓN

En un bol, bate la mantequilla a punto pomada con el azúcar. Agrega uno a uno los huevos sin dejar de batir. Agrega también las almendras y la harina tamizada. Mezcla hasta conseguir una masa uniforme.

Introduce esta mezcla en una manga pastelera y deposita unos montoncitos en una placa de horno cubierta con papel antiadherente. Unta con huevo batido y espolvorea con un poco de azúcar. Hornea a 175 grados durante 8-10 minutos.

Sirve los suspiros espolvoreados con canela.

TIEMPO DE ELABORACIÓN: 20 MINUTOS

MENÚ 16

Primer plato

Ensalada de judías verdes y aguacate

Segundo plato

Calabacines rellenos de ajoarriero

Postre

Melocotones con crema

INGREDIENTES (4 p.): • 300 g de judías verdes • 2 aguacates • 2 patatas cocidas • 2 tomates • 16 puntas de espárragos verdes (cocidos) • 4 rabanitos para decorar • agua y sal. **Para la vinagreta:** • 1 tomate pequeño • 1 cebolleta • 1 huevo cocido • perejil picado • aceite de oliva • vinagre y sal.

ELABORACIÓN

Retira los hilos de las judías, córtalas en tiras finas y cuece en agua hirviendo con sal durante 2-3 minutos. Escurre y reserva.

En el fondo de una fuente coloca las patatas, peladas y cortadas en rodajas. Pon alrededor los tomates en gajos y las judías cocidas en el centro. Pela los aguacates, retírales el hueso y córtalos en lonchitas. Agrégaselas a la ensalada, colocándolas alrededor de las judías, intercalándolas con las puntas de espárragos cocidas. Para terminar, decora con unos rabanitos y aliña con una vinagreta que habrás preparado con sus ingredientes bien picados.

TIEMPO DE ELABORACIÓN: 15-20 MINUTOS

INGREDIENTES (4 p.): • 2 calabacines • 300 g de bacalao desalado • 3 dientes de ajo • 1 pimiento verde • 2 cebollas rojas • 4 cuch. de carne de pimiento choricero • 1 vaso de caldo de pescado • aceite de oliva y sal.

ELABORACIÓN

En una cazuela, pon a pochar la cebolla picada. Cuando esté bien pochada, añade 3 cucharadas de la carne de pimiento choricero y el caldo de pescado. Déjalo reducir 10 minutos. Pásalo por el pasapuré y después por el chino. Reserva esta salsa.

Corta los calabacines por la mitad y otra vez en sentido longitudinal formando una especie de barquitas. Haz unos cortes con el cuchillo sobre su carne y hornea con un chorro de aceite y sal a 160 grados durante 10-15 minutos. Saca su carne y reserva también la piel de los calabacines.

Para preparar el ajoarriero, en una sartén con aceite, rehoga el ajo y el pimiento verde picados. Añade el bacalao desalado en trozos pequeños. Sigue rehogando e incorpora la carne de los calabacines y una cucharada de carne de pimiento choricero. Mezcla bien.

Rellena con este ajoarriero los calabacines y sirve con la salsa.

TIEMPO DE ELABORACIÓN: 25-30 MINUTOS

INGREDIENTES (4 p.): • 8 bizcochos de soletilla • 8 mitades de melocotón en almíbar • 100 g de azúcar • 2 yemas de huevo • $^1/_2$ l de leche • 1 cuch. de harina de maíz refinada • 1 ramita de vainilla • canela en polvo • 2 ramitas de hierbabuena.

ELABORACIÓN

Haz la crema poniendo la leche al fuego junto con la vainilla. Reserva un poquito de lecha fría.

En un bol, mezcla la harina de maíz con las yemas, el azúcar y la leche fría que has reservado.

Cuando la leche haya cocido ve incorporándola poco a poco a la mezcla. Ponlo todo al baño maría o a fuego muy suave, moviéndolo para que espese. Déjala enfriar y si queda muy espesa, aligérala con un poco de almíbar del melocotón.

Coloca los bizcochos troceados de base en un molde y encima los melocotones en lonchas. Reserva medio melocotón. Cubre con la crema.

Sirve espolvoreado con canela y adornado con medio melocotón y las ramitas de hierbabuena.

TIEMPO DE ELABORACIÓN: 30-35 MINUTOS

MENÚ 17

Primer plato

Lasaña de verduras y raya

Segundo plato

Pescadilla con crema de espinacas

Postre

Helado relleno

INGREDIENTES (4 p.): • 6 placas de lasaña • 300 g de raya • 8 langostinos • 2 tomates maduros • $^1/_2$ pimiento rojo • 1 cebolla • 1 diente de ajo • salsa bechamel ligera • queso rallado • aceite, agua y sal.

ELABORACIÓN

Cuece la pasta en agua hirviendo con sal y reserva.

En una sartén con aceite, sofríe la cebolla picada y en juliana, agrega los tomates troceados, el pimiento rojo también en juliana y el ajo picado. Sazona. Cuando esté bien rehogado, añade la raya sin piel y troceada y los langostinos pelados y partidos por la mitad. Sazona y deja hacer unos minutos.

Coloca una capa de pasta en el fondo de la fuente. Encima vierte la fritada de pescado, extiende bien y coloca otra capa de pasta. Repite esta operación hasta terminar con el pescado. Cubre con la bechamel, espolvorea con queso y gratina durante 1-1$^1/_2$ minutos. Sirve.

INGREDIENTES (4 p.): • 800 g de pescadilla limpia • 1 puerro • 1 cebolla • 1 pimiento rojo • $^1/_2$ vaso de agua, aceite y sal. PARA LA CREMA DE ESPINACAS: • 150 g de espinacas • 1 patata • agua y sal.

ELABORACIÓN

Para preparar una crema de espinacas, en una cazuela con agua hirviendo y sal, pon a cocer la patata pelada y troceada y las espinacas, bien limpias.
En una sartén con aceite, pon a pochar la cebolla, el pimiento y el puerro cortados en juliana. Sazona. Déjalo hacer unos 15 minutos y cuando las espinacas y la patata estén cocidas, tritúralo y a continuación, pásalo por un chino. Reserva la crema.
Sazona la pescadilla, en lomos o filetes y colócala sobre una fuente de horno. Cúbrela con la verdura pochada y moja con medio vaso de agua. Hornea a 190-200 grados durante 5 minutos.
Cubre el fondo de una fuente o plato con la crema de espinacas y coloca sobre ella la pescadilla. Sirve.

TIEMPO DE ELABORACIÓN: 20-25 MINUTOS

INGREDIENTES (8 p.): • 1 l de helado de pistacho • 6 mitades de melocotón en almíbar • 150 g de guindas en almíbar • 150 g de bizcocho (o galleta) • 1 copita de licor • $^1/_4$ de l de nata montada • 30 g de azúcar glas. PARA DECORAR: • frambuesas, pistachos y unas hojas de menta.

ELABORACIÓN

En un bol, echa el bizcocho cortado en daditos, el melocotón y las guindas troceadas, el azúcar y el licor. Mezcla bien y deja macerar durante un rato. A continuación, añade la nata montada y mezcla. Cubre con papel transparente o de aluminio un molde tipo flanera. Forra todo el interior con una capa gruesa de helado de pistacho. Introdúcelo en el congelador el tiempo suficiente para que se quede duro. Pasado este tiempo saca del congelador y rellena el molde con la mezcla macerada. Vuelve a congelar durante 4 o 5 horas y desmolda. Para desmoldar puedes sumergir el molde durante unos instantes en agua caliente.
Por último, decora con unas frambuesas, unos pistachos pelados y unas hojas de menta.

TIEMPO DE ELABORACIÓN: 20-25 MINUTOS, MÁS LA CONGELACIÓN

<u>MENÚ 18</u>

Primer plato

Ensalada de
pimientos morrones

Segundo plato

Palometa
Juana

Postre

Flan de leche
condensada

INGREDIENTES (4 p.): • 2 pimientos morrones (asados y pelados) • 1 cebolleta • 12 colas de langostinos • 2 huevos cocidos • 2 patatas cocidas • 150 g de atún en aceite (ventresca) • 2 dientes de ajo • perejil picado. **PARA LA VINAGRETA:** • 2 guindillas en vinagre • 1 tomate • aceite de oliva, vinagre y sal gorda.

ELABORACIÓN

Trocea un poco los pimientos en tiras y saltéalos con 1 diente de ajo.

Aparte, en otra sartén, saltea las colas de langostinos, previamente sazonadas, con otro diente de ajo.

Coloca el salteado de pimientos en el fondo de una fuente y alrededor, el huevo y la patata pelados y troceados. A continuación, añade los langostinos sobre las patatas, el atún en los extremos y sobre él, la cebolleta en juliana.

Aliña con una vinagreta preparada con tomate pelado y guindillas, todo troceado, aceite, vinagre y sal gorda.

Espolvorea con perejil picado y sirve.

INGREDIENTES (4 p.): • 1 kg de palometa • 3 cebolletas • 2 tomates • 3 dientes de ajo • $^{1}/_{2}$ hoja de laurel • 2 cuch. de carne de pimiento choricero • un poco de harina • aceite y sal.

ELABORACIÓN

En una sartén con aceite, pon a pochar las cebolletas y los ajos, todo picado, junto con el laurel. Añade los tomates, también picados, una pizca de sal y la carne de los pimientos choriceros.

Limpia la palometa, córtala en rodajas y sazona. Rebózalas en harina y fríelas en una sartén con aceite hasta que estén bien hechas.

Por último, introduce las rodajas en la salsa, deja que se haga todo junto para que se mezclen los sabores y sirve.

TIEMPO DE ELABORACIÓN: 25-30 MINUTOS

INGREDIENTES (4-6 p.): • 350 g de leche condensada • $^1/_2$ l de leche natural • 3 huevos • 8 magdalenas • caramelo para untar el molde • unas frambuesas y unas hojas de menta para decorar.

ELABORACIÓN

Bate los huevos, agrega las magdalenas en migas y las dos clases de leche. Vierte esta mezcla en un molde de flan caramelizado.

Hornea al baño maría durante 40 minutos aproximadamente a 180 grados. Desmolda el flan y sirve decorado con unas frambuesas y unas hojas de menta.

TIEMPO DE ELABORACIÓN: 45-50 MINUTOS

MENÚ 19

Primer plato

Ensalada de tomate con espárragos

Segundo plato

Congrio a la gallega

Postre

Bizcochito con uvas

INGREDIENTES (4 p.): • 2 tomates • 8 espárragos blancos cocidos • 2 patatas cocidas • 2 pimientos rojos asados y pelados • 2 huevos cocidos • 1 diente de ajo • aceite de oliva • sal. PARA LA VINAGRETA: • 1 cebolleta • 1 diente de ajo • 3 pepinillos en vinagre • 1 yema de huevo cocido • 6 cuch. de aceite de oliva • 2 cuch. de vinagre • perejil picado • sal gorda.

ELABORACIÓN

Coloca la patata pelada y en rodajas junto con el tomate en gajos en el extremo de una fuente o plato. Sitúa los espárragos blancos cocidos en el centro.

En un bol, mezcla los pimientos en tiras con los ajos picados, sal gorda y aceite. Añade esta mezcla a la ensalada.

Agrega también los huevos pelados y cortados en cuartos.

Por último, para preparar la vinagreta, mezcla en un bol la cebolleta, el ajo y los pepinillos, todo muy picadito. Añade la yema y condimenta con sal, aceite, vinagre y perejil picado. Aliña con esta vinagreta la ensalada y sirve.

TIEMPO DE ELABORACIÓN: 15-20 MINUTOS

INGREDIENTES (4 p.): • 800 g de congrio • 100 g de guisantes cocidos • 2 cebo-lletas • 1 tomate • 2 dientes de ajo • caldo de pescado o agua • 1 vaso de vino blan-co • harina • aceite de oliva y sal • perejil picado.

ELABORACIÓN

En una cazuela con aceite, pocha las cebolletas y el tomate, todo picado y el ajo en láminas. Sazona. Añade, rehogando, una cucharada de harina y vierte el vino.

Sazona el congrio partido en rodajas, fríelo pasado por harina y colócalo sobre la verdura pochada. Déjalo guisar 8 minutos.

Por último, agrega los guisantes y un poco de agua o caldo, si es necesario. Espolvorea con perejil picado y sirve.

TIEMPO DE ELABORACIÓN: 20-25 MINUTOS

INGREDIENTES (6-8 p.): • un puñado de uvas • 12 cuch. de harina • 12 cuch. de azúcar • 4 cuch. de aceite • 4 huevos • un poco de mantequilla y harina • chocolate a la taza y natillas.

ELABORACIÓN

Separa las yemas de las claras.

En un bol, bate con varilla las yemas y añade poco a poco el aceite, sin parar de remover. Añade también el azúcar y sigue mezclando.

Monta las claras a punto de nieve y añádeselas al resto de los ingredientes. Mezcla bien, pero con cuidado para que las claras no se bajen del todo. Por último, echa la harina y mézclala también suavemente.

Vierte esta crema en un molde untado con mantequilla y enharinado. Coloca encima las uvas peladas. Hornea a 180 grados durante 15 minutos. Desmolda el bizcocho y acompaña con chocolate a la taza y natillas.

MENÚ 20

Primer plato

Berenjenas al horno

Segundo plato

Lomos de merluza Zarautz

Postre

Crema de bruñones

INGREDIENTES (4 p.): • 2 berenjenas hermosas • 1 pimiento verde • 1 cebolla • 250 g de carne picada • 3 dientes de ajo • $1/4$ de l de salsa bechamel • queso rallado • un plato de harina • 1 sobre de levadura • nuez moscada • perejil picado • sal y pimienta • aceite de oliva.

ELABORACIÓN

En una cazuela con aceite, sofríe el ajo, el pimiento y la cebolla, muy picados. Agrega la carne salpimentada y espolvoreada con perejil. Saltea unos minutos.

Corta la berenjena en lonchitas y fríelas, previamente sazonadas y pasadas por harina con la levadura y peladas.

Coloca la berenjena, bien escurrida, en el fondo de una fuente resistente al horno y ve añadiendo el sofrito de carne con verdura, alternativamente, terminando en una capa de berenjenas.

Cubre con salsa bechamel, a la que le habrás añadido una pizca de nuez moscada y queso. Gratínalo en el horno durante 1 minuto aproximadamente. Sirve.

TIEMPO DE ELABORACIÓN: 30-35 MINUTOS

INGREDIENTES (4 p.): • 800 g de merluza (lomos) • 500 g de mejillones • 2 cebolletas • 3 dientes de ajo • $^1/_2$ vaso de puré de pimientos rojos • 1 cuch. de harina
• unos granos de pimienta • perejil picado • aceite de oliva • agua y sal.

ELABORACIÓN

Cuece al vapor, en agua con sal y unos granos de pimienta, los mejillones limpios.
En una tartera con aceite, rehoga las cebolletas y los ajos, todo muy picadito.
Añade la harina y rehoga. Seguidamente añade los lomos de merluza sazonados.
Echa la salsa de los pimientos rojos y medio vaso de agua. Deja cocer los lomos
2-3 minutos por cada lado.
Por último, agrega la carne de los mejillones cocidos, espolvorea con perejil pica-
do y deja cocer otros 2 minutos a fuego lento.
Sirve los lomos con los mejillones y salsea.

CREMA DE BRUÑONES

INGREDIENTES (4-6 p.): • $^1/_2$ kg de bruñones o nectarinas deshuesadas • $^1/_2$ kg de azúcar • 200 ml de nata líquida • 1 copita de licor de naranja • un chorrito de agua • canela en polvo.

ELABORACIÓN

En un cazo, pon a calentar el agua con el azúcar junto con las nectarinas deshuesadas y déjalas cocer durante 15 minutos aproximadamente. Apártalo del fuego y déjalo enfriar. Retira parte del líquido. Añade la nata que habrás montado. Mezcla bien y agrega el licor de naranja.
Sirve en unas copas y espolvorea con canela en polvo.

TIEMPO DE ELABORACIÓN: 25-30 MINUTOS

MENÚ 21

Primer plato

Marmitako

Segundo plato

Anchoas al estilo de la abuela

Postre

Postre helado

INGREDIENTES (4-6 p.): • 1 kg de bonito o atún • 1 kg de patatas • 3 pimientos verdes • 1 cebolla hermosa • 4 dientes de ajo • 1 cuch. de carne de pimiento choricero • 2 tomates maduros • 2 guindillas de cayena • perejil picado • aceite de oliva • sal. **PARA EL CALDO DE PESCADO:** • 2 puerros • $^{1}/_{2}$ cabeza y pieles de bonito • 2 ramitas de perejil • 1 l de agua • sal.

ELABORACIÓN

Prepara el caldo de pescado con las verduras, las pieles, la cabeza de bonito y el perejil. Cuécelo en agua con sal durante 20 minutos.

Aparte, pica la cebolla, los tomates, los pimientos verdes y los ajos. Pocha todo en una cazuela con un chorro de aceite. Cuando esté bien pochado, agrega las patatas peladas y troceadas. Rehoga unos minutos.

A continuación, añade la carne de los pimientos choriceros y las guindillas. Vierte el caldo de pescado desespumado y colado. Deja cocer hasta que las patatas estén cocidas. Tardará unos 15-20 minutos. Entonces, añade el bonito limpio y cortado en tacos. Deja cocer otros 3 minutos, pon a punto de sal, espolvorea con perejil picado y deja reposar fuera del fuego 5 minutos antes de servir.

TIEMPO DE ELABORACIÓN: 40-45 MINUTOS

INGREDIENTES (4 p.): • 32 anchoas o boquerones • 16 anchoas en aceite • harina y huevo batido • 1 diente de ajo • 1 cebolla • 1 pimiento verde • aceite de oliva • 1 vaso de salsa de pimientos rojos.

ELABORACIÓN

Limpia las anchoas y ábrelas por la mitad. Para rellenar las anchoas: coloca una anchoa fresca, encima pon un filete de anchoa en salazón y tapa con otra anchoa fresca. Reboza en harina y huevo batido y fríe las anchoas rellenas en una sartén con aceite y 1 diente de ajo. Reserva.

En otra sartén con aceite, fríe la cebolla y el pimiento verde, cortados en aros y pasados por harina.

Para servir, acompaña las anchoas rellenas con los aros de cebolla y pimiento y salsa de pimientos rojos.

TIEMPO DE ELABORACIÓN: 25-30 MINUTOS

INGREDIENTES (8-12 p.): • 1 l de leche • 2 yemas de huevo • 5 cuch. de azúcar • 170 g de frutas confitadas • 120 g de pasas • 60 g de almendras tostadas y fileteadas • $^3/_4$ de l de nata montada • 1 palo de canela • chocolate hecho y unas hojas de menta.

ELABORACIÓN

Calienta la leche, reservando un poco, con las pasas y el azúcar durante 15-20 minutos, a fuego suave hasta que se reduzca casi a la mitad. Añade la canela y las yemas previamente diluidas en la leche que habrás reservado. Sigue calentando sin que hierva, removiendo constantemente hasta que espese. Deja enfriar, retira la canela y agrega las frutas confitadas picadas y las almendras. A continuación, añade la nata montada y mezcla con cuidado.

Vierte este preparado sobre un molde (puedes cubrirlo con film plástico transparente para facilitar el desmolde) e introdúcelo en el congelador.

Una vez que el postre esté helado, desmóldalo. Sírvelo en cortes acompañado con chocolate hecho y decorado con unas hojas de menta.

TIEMPO DE ELABORACIÓN: 50-55 MINUTOS, MÁS LA CONGELACIÓN

MENÚ 22

Primer plato

Arroz con pescado y calabacín

Segundo plato

Ventresca de merluza en fritada

Postre

Batido de verano

INGREDIENTES (4 p.): • 350 g de arroz • 200 g de rape limpio • 200 g de salmón limpio • 12 gambas peladas • 1 calabacín • 1 cebolla • 2 dientes de ajo • caldo de pescado • perejil picado • aceite de oliva • sal.

ELABORACIÓN

En una cazuela con un chorro de aceite, rehoga la cebolla, el ajo y el calabacín pelados y picados. Cuando comiencen a dorarse estos ingredientes, añade las gambas y el rape troceado. Deja que se sofrían un poquito.

Agrega el arroz y rehógalo. Seguidamente, echa el caldo (la cantidad es el doble que de arroz y un poquito más). Sazona. Deja cocer 20 minutos, añade el salmón troceado y espolvorea con perejil. Deja reposar 5 minutos y sirve.

TIEMPO DE ELABORACIÓN: 30-35 MINUTOS

INGREDIENTES (4 p.): • 12 filetes de merluza (ventresca) • 2 dientes de ajo • 2 huevos • harina • perejil picado • aceite de oliva y sal • 1 limón. **PARA LA FRITADA:** • 1 cebolleta • 1 pimiento rojo • 2 pimientos verdes • 1 tomate • 2 dientes de ajo • aceite de oliva y sal.

ELABORACIÓN

Para preparar la fritada, corta la cebolleta y los pimientos en juliana. El tomate córtalo en gajos y pon todo a pochar en una sartén con aceite. Sazona y agrega los ajos pelados y picados.

Aparte, sazona los filetes de merluza y rebózalos en harina primero y huevo batido después. Fríelos en otra sartén con abundante aceite caliente junto con 2 dientes de ajo. Una vez fritos los filetes de merluza, sírvelos en una fuente donde previamente habrás extendido la fritada. Decora con un limón y perejil picado.

TIEMPO DE ELABORACIÓN: 25-30 MINUTOS

INGREDIENTES (4 p.): • 4 yogures naturales • 1 vaso de azúcar • 2 vasos de agua • 16 fresas • unas gotas de limón. **PARA DECORAR:** • granadina y azúcar • unas hojas de menta • corteza de 1 limón.

ELABORACIÓN

Prepara un almíbar calentando, durante 10 minutos aproximadamente, el agua con el azúcar y unas gotas de limón. Déjalo templar.
En una jarra, echa el yogur, el almíbar y las fresas y mézclalo todo con ayuda de una batidora.
Unta el borde de cada vaso o copa con un poco de granadina y después con el azúcar.
Sirve el batido decorado con unas hojas de menta y corteza de limón.

TIEMPO DE ELABORACIÓN: 20-25 MINUTOS

MENÚ 23

Primer plato

Ensalada de atún,
tomate y guindillas

Segundo plato

Cola de merluza
al vapor

Postre

Batido de
macedonia

INGREDIENTES (4 p.): • 600 g de atún o bonito en aceite • 1 lechuga • 1 pimiento rojo asado y pelado • 1 diente de ajo • dos puñados de aceitunas negras y verdes • aceite de oliva y sal. **PARA LA VINAGRETA:** • 1 huevo cocido • 1 tomate • 1 cebolleta • unas guindillas • ¹/₂ vaso de vinagre • 1 vaso de aceite de oliva • sal.

ELABORACIÓN

Limpia las hojas de lechuga y colócalas en el borde de una fuente. En el centro pon el atún en trozos hermosos. Añade los pimientos en tiras, aliñados con ajo picado, aceite y sal. Por último, agrega las aceitunas.

Para la vinagreta, pica muy fino el huevo, el tomate pelado, las guindillas y la cebolleta. Mezcla todo en un cuenco con un buen chorro de aceite, vinagre y sal. Bátelo con un tenedor.

Aliña la ensalada con la vinagreta, decora con unas guindillas y sirve.

TIEMPO DE ELABORACIÓN: 15-20 MINUTOS

INGREDIENTES (4 p.): • 1 kg de merluza (cola) • 1 puerro • 1 cebolla • 3 zanahorias • 200 g de verduras cocidas: espárragos, judías verdes, zanahorias • 1 limón • aceite de oliva, agua y sal. **PARA LA SALSA:** • 1 vaso de caldo de pescado • 1 vaso de nata líquida • $^1/_2$ vaso de vino blanco • estragón.

ELABORACIÓN

Para preparar la salsa, mezcla en un cazo el vino, el caldo, la nata y un poco de estragón. Deja reducir 10 minutos.

Filetea la merluza, retirando las espinas y la piel. Sazona.

Cuécela, durante 8-10 minutos, al vapor con agua a la que habrás añadido unas verduras, limpias y troceadas (el puerro, la cebolla y las zanahorias en juliana), sazona.

En una sartén con aceite, saltea las verduras cocidas (espárragos, zanahorias y judías verdes).

En una fuente, sirve la merluza con la salsa de vino y acompaña con verduras, tanto las salteadas como las que habrás cocido al preparar la merluza.

Puedes decorar con un limón.

TIEMPO DE ELABORACIÓN: 20-25 MINUTOS

INGREDIENTES (4 p.): • 2 melocotones en almíbar • 2 plátanos • 2 kiwis • 1 cuch. de miel • 1 taza de frambuesas • 1 taza de grosellas • unos cubitos de hielo • 1 vaso de agua.

ELABORACIÓN

Pela los plátanos y los kiwis y córtalos junto con los melocotones en trozos. Colócalos en un bol y añade las frambuesas y las grosellas (reserva alguna grosella y rodaja de kiwi para decorar). Tritúralo todo bien con ayuda de una batidora. Añade el agua, la miel y 2 o 3 cubitos de hielo y sigue batiendo.
Colócalo en unas copas o vasos, decorándolos con unas rodajas de kiwi y alguna grosella. Sírvelo acompañado de una pajita.

TIEMPO DE ELABORACIÓN: 15-20 MINUTOS

MENÚ 24

Primer plato

Soufflé de vegetales

Segundo plato

Ensalada de verduras con salmonetes

Postre

Mousse fácil de limón

INGREDIENTES (4 p.): • 3 zanahorias • 200 g de judías verdes • 12 espárragos verdes • 2 trozos de mantequilla • 1 cuch. de harina • 4 huevos • $^1/_2$ vaso de leche • sal y pimienta • agua. **PARA LA CREMA DE VERDURAS:** • 100 g de espinacas • 2 patatas • aceite y sal • $^1/_2$ l de agua.

ELABORACIÓN

Limpia, trocea y cuece en agua con sal las zanahorias, las judías y los espárragos (todo separado). Escurre y reserva.

Para preparar la crema, en un cazo con agua, sal y un chorro de aceite, cuece las patatas peladas y troceadas. Añade también las espinacas bien limpias. Deja cocer unos 15-20 minutos, pásalo por el pasapuré y reserva.

En una sartén con mantequilla, saltea las verduras cocidas y condiméntalas con pimienta molida. Una vez salteadas, introdúcelas en un molde.

Aparte, en otra sartén con mantequilla, rehoga la harina. Agrega las yemas de los huevos y mezcla. Moja con la leche y sigue removiendo. Agrega la crema, mezcla y añade sobre las claras que habrás montado. Mezcla con cuidado. Vierte sobre el molde y hornea a 170 grados durante 15 minutos. Sirve inmediatamente.

TIEMPO DE ELABORACIÓN: 40-45 MINUTOS

INGREDIENTES (4 p.): • 4 salmonetes de 200 g • 1 puerro • 1 pimiento verde • 1 cebolleta • 2 zanahorias • 4 champiñones • 2 dientes de ajo • 150 g de judías verdes • 1 manzana • 1 pimiento morrón asado y pelado • aceite, vinagre y sal.

ELABORACIÓN

Corta las verduras y hortalizas, bien limpias, en juliana y los champiñones en láminas. Saltéalos en una sartén con un poco de aceite y sal durante 8-10 minutos. Coloca estas verduras sobre un plato o fuente junto con el pimiento morrón.

Fríe los salmonetes, limpios y sazonados, en una sartén con aceite bien caliente y 2 ajos enteros y añádeselos a la ensalada. Añade también la manzana que habrás frito en rodajas.

Por último, aliña con sal, aceite y vinagre. Sirve.

TIEMPO DE ELABORACIÓN: 20-25 MINUTOS

INGREDIENTES (4 p.): • 200 g de leche condensada • zumo de 3 limones • 2 huevos • ¹/₄ de l de leche • 1 yogur natural • unas hojas de menta.

ELABORACIÓN

Separa las yemas y las claras de los huevos. Pon todos los ingredientes excepto las claras en una batidora y bátelos hasta obtener una crema homogénea. Después, añade con cuidado las claras que habrás montado a punto de nieve. Mete la mousse en la nevera y sírvela muy fría en copas individuales. Decora con unas hojas de menta.

TIEMPO DE ELABORACIÓN: 15-20 MINUTOS, MÁS EL ENFRIAMIENTO

MENÚ 25

Primer plato

Ensalada con vinagreta de limón

Segundo plato

Truchas con fritada al horno

Postre

Pinchos de frutas

INGREDIENTES (4 p.): • 250 g de rape • 250 g de gallo • 8 langostinos • 1 escarola • 1 lechuga morada • 100 g de maíz cocido • 1 diente de ajo • aceite de oliva • sal y pimienta. **PARA LA VINAGRETA:** • un trozo de pimiento rojo • 3 guindillas en vinagre • $^1/_2$ taza de zumo de limón • 1 taza de aceite de oliva • sal gorda.

ELABORACIÓN

Corta el gallo y el rape, limpios, en tiras finas. Salpimenta y saltea en una sartén con un chorrito de aceite junto con las colas de los langostinos peladas y el ajo fileteado.

En una fuente, coloca la escarola y la lechuga limpia y troceada. Sazona, añade el pescado y el marisco salteado.

Por último, añade la vinagreta que habrás preparado en un bol con las guindillas y el pimiento picados finamente, el zumo de limón, la sal y el aceite de oliva, todo bien batido. Añade el maíz cocido y sirve.

TIEMPO DE ELABORACIÓN: 15-20 MINUTOS

INGREDIENTES (4 p.): • 4 truchas de ración • 2 patatas • 2 cebolletas • 1 pimiento verde • $^1/_2$ pimiento rojo • $^1/_2$ tomate • 1 puñado de almendras • 4 dientes de ajo • $^1/_2$ vaso de jerez • harina • aceite de oliva • sal.

ELABORACIÓN

Limpia y pela las patatas. Córtalas en rodajas y fríelas en una sartén con aceite hasta que estén casi hechas. Colócalas en el fondo de una placa de horno y reserva.

En una sartén con un chorro de aceite, rehoga las cebolletas, los pimientos, 2 dientes de ajo y el tomate, todo bien picadito. Cuando esté todo pochado, échalo por encima de las patatas.

Limpia las truchas, sazónalas y una vez rebozadas en harina, fríelas en una sartén con aceite y 2 dientes de ajo. No las frías mucho, solamente vuelta y vuelta.

Colócalas en la placa de horno sobre la fritada y las patatas. Espolvorea las truchas con las almendras fileteadas y agrega el jerez.

Mételas al horno fuerte durante 4-5 minutos.

Sirve las truchas con la fritada y las patatas de guarnición. Salsea con el jugo que habrán soltado en la placa de horno.

TIEMPO DE ELABORACIÓN: 25-30 MINUTOS

INGREDIENTES (4 p.): • 2 plátanos • 2 manzanas • 2 peras • un trozo de melón • 2 naranjas • 200 g de chocolate de hacer • 1 vaso de nata líquida • unas grosellas.

ELABORACIÓN

Pela y trocea las frutas. Después, ensarta los trocitos en los pinchos.

Pon un cazo a fuego suave y derrite el chocolate. Cuando esté derretido echa un chorro de nata líquida y mézclalo bien. Con el chocolate aún caliente cubre los pinchos de frutas y adórnalos con unas grosellas. También puedes espolvorearlos con azúcar y gratinar.

Puedes saborear este postre frío o caliente.

TIEMPO DE ELABORACIÓN: 15-20 MINUTOS

Otoño

MENÚ 1

Primer plato

Ensalada de pasta con mollejas

Segundo plato

Manitas de cerdo en fritada

Postre

Plum-cake económico

INGREDIENTES (4 p.): • 250 g de pasta (espirales) • 250 g de mollejas de cordero • 8 champiñones • ¹/₂ pimiento morrón • aceite • agua y sal. **PARA LA VINAGRE-
TA:** • 1 tomate escaldado • 2 cuch. de vinagre • 2 cuch. de aceite de oliva • sal • perejil picado.

ELABORACIÓN

Cuece la pasta en abundante agua hirviendo con sal y un chorrito de aceite. Una
vez cocida al dente, escurre, refréscala con agua fría y reserva.
Limpia bien las mollejas, sazona y fríelas en una sartén con aceite.
Aparte, pocha los champiñones y el pimiento, ambos cortados. Agrega la pasta y
saltéalo todo junto.
Para preparar una vinagreta de tomate, echa en un bol el tomate pelado y picado
y aderez con aceite, vinagre y sal. Espolvorea con perejil picado y mezcla bien.
Por último, sirve la pasta con las mollejas en una fuente y aliña con la vinagreta.

TIEMPO DE ELABORACIÓN: 20-25 MINUTOS

INGREDIENTES (4 p.): • 4 manitas de cerdo (cocidas) • 2 cebollas • 1 tomate • 2 pimientos verdes • $^1/_2$ pimiento morrón • 4 dientes de ajo • $^1/_4$ de l de salsa de tomate • 1 cuch. de harina • 1 $^1/_2$ vaso de caldo de cocer las manitas • $^1/_4$ de guindilla seca • 1 patata • aceite y sal • perejil picado.

ELABORACIÓN

Limpia y corta toda la verdura en juliana (excepto el tomate) y ponla a pochar en una cazuela con aceite. Sazona.

Transcurridos unos 8 minutos, añade el tomate troceado y déjalo pochar otros 10 minutos. Agrega la guindilla y la harina. Rehoga y moja con el caldo.

Introduce las manitas cocidas y partidas por la mitad y añade la salsa de tomate. Pon a punto de sal y guísalo unos 8 minutos.

Aparte, en una sartén con aceite, fríe las patatas en dados. Sazona.

Sirve las manitas con su fritada y acompaña con las patatas fritas. Espolvorea con perejil.

TIEMPO DE ELABORACIÓN: 30 MINUTOS

INGREDIENTES (6-8 p.): • $^1/_4$ de kg de pan • 1 manzana grande • 6 cuch. de azúcar • 1 cuch. de canela en polvo • 2 cortezas de limón • $^3/_4$ de l de leche • 3 huevos • nata montada al gusto • unas guindas en licor • un poco de mantequilla.

ELABORACIÓN

Pon la leche a cocer con las cortezas de limón.

Aparte, en un bol, bate los huevos con el azúcar. Agrega el pan cortado en trocitos y vierte la leche templada. Mezcla bien para que todo se empape. Añade la manzana pelada y en tiras y la canela. Una vez que esté todo bien mezclado, vierte la masa en un molde de corona untado con mantequilla. Hornea a 175 grados unos 30 minutos. Desmolda el plum-cake en frío.

Por último, rellena el hueco central con una mezcla de nata montada y guindas en licor.

TIEMPO DE ELABORACIÓN: 1 HORA

MENÚ 2

Primer plato

Crema de lentejas con codornices

Segundo plato

Bocaditos de calabacín y bacalao

Postre

Bizcocho borracho

INGREDIENTES (4 p.): • 400 g de lentejas • 1 cebolla • 2 zanahorias • 2 puerros • 4 codornices • aceite, sal y agua • una ramita de perejil.

ELABORACIÓN

En una cazuela con agua, sal y un chorro de aceite, pon a cocer las lentejas con la verdura, limpia y bien picada. Añade también, las codornices, limpias y bridadas con una cuerda de liz. Echa también una ramita de perejil y deja cocer 40-45 minutos.

Retira las codornices cuando estén hechas (hacia mitad de cocción). Quítales las cuerdas y reserva.

Tritura con una batidora las lentejas y pásalas por un chino para que quede más fina la crema.

Sirve esta crema en una sopera o legumbrera y coloca encima las codornices trinchadas. Puedes acompañarlo con unos costrones de pan frito.

TIEMPO DE ELABORACIÓN: 1 HORA

INGREDIENTES (4 p.): • 2 calabacines • 300 g de bacalao desalado • 1 pimiento verde • $^1/_2$ pimiento rojo • 1 cebolla • harina y huevo batido • aceite y sal • salsa de tomate.

ELABORACIÓN

Corta los calabacines en láminas finas a lo largo. Sazona y rebózalas en harina y huevo batido. Fríelas en aceite bien caliente y reserva.

En otra sartén, con un chorro de aceite, rehoga el pimiento verde, el rojo y la cebolla, todo picadito.

Retira la piel del bacalao y córtalo en tacos. Cuando la verdura esté bien pochada, agrega el bacalao y déjalo hacer unos 5 minutos.

En una fuente resistente al horno, coloca una lámina de calabacín frito, sobre ella pon parte de la fritada con bacalao y cubre con otra lámina de calabacín frito. Así sucesivamente hasta terminar. Añade la salsa de tomate caliente en los costados y hornea, a horno fuerte, durante 3 minutos.

Sirve con cuidado de no quemarte con la fuente.

TIEMPO DE ELABORACIÓN: 30 MINUTOS

INGREDIENTES (8-10 p.): • 100 g de azúcar • 100 g de harina • 4 huevos • 2 cucharadas de levadura • mantequilla y harina para untar el molde • unas hojas de menta y grosellas para decorar. **PARA EL JARABE:** • 250 g de azúcar blanquilla • 250 g de azúcar morena • 1 vaso de agua • 2 copas de vino dulce • unas gotas de zumo de limón.

ELABORACIÓN

En un cuenco, monta con ayuda de una batidora los huevos con el azúcar, hasta que quede esponjoso. Añade la harina con la levadura tamizadas. Mezcla hasta obtener una pasta cremosa y sin grumos.

Vierte en un molde de bizcocho, previamente untado con mantequilla y enharinado. Hornea a 175 grados durante 20-25 minutos. Deja enfriar, desmolda y parte el bizcocho en trozos.

Prepara un almíbar espeso calentando el azúcar y el agua con zumo de limón. Agrega el vino, remueve bien y retira del fuego.

Baña cada trozo de bizcocho con este jarabe y sirve decorado con unas hojas de menta y unas grosellas.

TIEMPO DE ELABORACIÓN: 35-40 MINUTOS

MENÚ 3

Primer plato

Pastel de calabaza con crema de calabacín

Segundo plato

Rabo guisado con guisantes

Postre

Yemas de huevo

INGREDIENTES (4-6 p.): • $^3/_4$ de kg de calabaza • 200 g de queso cremoso • 5 huevos • 1 vaso de nata líquida • nuez moscada • sal y pimienta • mantequilla y pan rallado para untar el molde • $^1/_2$ pimiento rojo para decorar. **PARA LA CREMA DE CALABACÍN:** • 1 calabacín • 1 patata • agua, un chorrito de aceite y sal.

ELABORACIÓN

En un bol grande, bate los huevos. Sazona.

Incorpora la calabaza picada fina mezclándolo todo bien. Añade el queso y la nata. Mezcla bien. Adereza con un poco de nuez moscada y de pimienta. Vierte este preparado en un molde tipo cake, untado con mantequilla y espolvoreado con pan rallado. Mételo al horno al baño maría durante 45 minutos a 180 grados.

Para preparar la crema de calabacín, trocea el calabacín (con piel si es tierno) y ponlo a cocer en una cazuela con agua hirviendo, junto con la patata pelada y troceada. Añade una pizca de sal y un chorro de aceite y déjalo hacer 20 minutos. Pásalo por el pasapuré y por el chino.

Sirve el pastel desmoldado y cortado (en frío) y acompáñalo con la crema de calabacín caliente. Decora con unas tiras de pimiento.

TIEMPO DE ELABORACIÓN: 50-60 MINUTOS

INGREDIENTES (4 p.): • 1,5 kg de rabo troceado • 2 cebollas • 3 zanahorias • 1 puerro • 2 tomates • 200 g de guisantes cocidos • 3 dientes de ajo • 2 hojas de laurel • aceite, agua y sal.

ELABORACIÓN

En una cazuela con aceite y 3 dientes de ajo con piel y golpeados, dora el rabo en trozos y sazonado. Una vez dorado, añade la verdura bien limpia y troceada. Rehoga. Cubre con agua y pon a punto de sal. Guísalo durante 1,30-2 horas (añade más agua si queda seco).

Pasa la salsa por el pasapuré y a continuación, por un chino. Por último, agrega el rabo y los guisantes cocidos y calienta todo bien, deja reposar unos minutos y sirve.

INGREDIENTES (saldrán unas 35 yemas): • 12 yemas de huevo muy frescas • 200 g de azúcar • 1 vaso de agua • unas gotas de limón • azúcar para impregnar.

ELABORACIÓN

Prepara un almíbar con agua, unas gotas de limón y azúcar. Calienta hasta punto de bola (justo antes de que empiece a dorarse).

Aparte, en un cazo, echa las yemas y bátelas con una varilla. Vierte sobre ellas el almíbar poco a poco sin parar de batir. Pásalo por un chino y cuécelo a fuego suave, al baño maría, removiendo. Cuando la mezcla cuaje y se separe de las paredes del cazo, extiéndela sobre una fuente grande o superficie de trabajo bien limpia. Deja enfriar.

Dale forma de bolitas e impregna las yemas en el azúcar.

Sírvelas en moldecitos de papel.

TIEMPO DE ELABORACIÓN: 30 MINUTOS

MENÚ 4

Primer plato

Sopa de tomate con albahaca

Segundo plato

Pollo jardinera

Postre

Pastel de nueces

INGREDIENTES (4 p.): • 1 kg de tomates maduros • 1 cebolleta • 1 puerro • 1 zanahoria • 1 ramito de albahaca • 1 l de caldo de verduras • unas rebanadas de pan • harina y levadura • huevo batido • aceite, sal y azúcar.

ELABORACIÓN

En una cazuela con aceite, rehoga las verduras, bien limpias y picadas. Añade el tomate troceado y rehógalo todo. Agrega el caldo de verdura, la albahaca y una pizca de sal y azúcar, dejándolo durante 30 minutos más o menos. Después pásalo por una batidora y un chino si quieres que te quede más fino.

Puedes tomarla caliente o fría. Sirve esta sopa con unas rebanadas de pan rebozadas en harina con levadura y huevo batido y fritas con aceite bien caliente. Por último, decora con albahaca picada.

INGREDIENTES (4 p.): • 1 pollo de 1,5 kg (aprox.) • 1 cebolla • 2 tomates • 200 g de habitas desgranadas • 100 g de guisantes desgranados • 4 alcachofas • 8 champiñones • aceite • agua • sal y pimienta • perejil picado.

ELABORACIÓN

Limpia el pollo retirando la piel, trocéalo y salpimenta los trozos.

En una cazuela con aceite, rehoga la cebolla picada y los tomates troceados. Sazona y déjalo hacer unos minutos. Añade el pollo y sigue rehogando a la vez que añades las habas, los guisantes y las alcachofas limpias y cortadas en cuartos que puedes untar con medio limón para que no se oscurezcan. Por último, agrega los champiñones bien limpios y en láminas. Una vez que esté todo rehogado, cubre con agua y déjalo cocer 40 minutos.

Sirve el pollo jardinera y salsea espolvoreando con perejil.

TIEMPO DE ELABORACIÓN: 40-50 MINUTOS

INGREDIENTES (4-6 p.): • 300 g de nueces picadas • 2 huevos • 1 vaso de leche • 200 g de azúcar • un poco de mantequila • unas nueces para decorar.

ELABORACIÓN

Unta con la mantequilla un papel antiadherente del tamaño del fondo del molde y colócalo sobre él. Para preparar la masa, bate hasta montar los 2 huevos, añade las nueces picadas, mézclalo todo bien y a continuación, agrega 2 cucharadas de azúcar y moja con la leche. Remueve para repartir todos los ingredientes y vierte esta masa sobre el molde. Hornéalo durante 25 minutos a 170 grados.

Calienta el resto del azúcar en una cazuela para preparar un caramelo y viértelo por encima del pastel ya desmoldado.

Por último, decóralo con las nueces partidas por la mitad.

MENÚ 5

Primer plato

Hojaldre
de setas

Segundo plato

Lasaña
de verduras

Postre

Tarta
de higos

INGREDIENTES (4 p.): • 300 g de hojaldre • 1 huevo (para untar) • 8 langostinos • 200 g de champiñones o setas • 1 zanahoria • 1 cebolleta • 1 tomate • 1 pimiento verde • ¹/₄ de pimiento rojo • 1 vaso de caldo de verduras • un chorro de brandy • un chorro de nata líquida • 1 hoja de laurel • aceite y sal.

ELABORACIÓN

Estira el hojaldre (no muy fino) y córtalo en cuatro cuadrados.

Úntalos con huevo batido y hornéalos a 180 grados durante 20-25 minutos aproximadamente.

En una cazuela con un poco de aceite, rehoga las cabezas y las pieles de los langostinos. Agrega el brandy y flambea. Añade zanahoria, cebolleta, tomate y pimiento verde, todo limpio y picado. Moja con el caldo y deja reducir unos minutos. Tritura y pásalo por un pasapuré.

En un poco de aceite, pocha el puerro, el pimiento rojo y los champiñones bien limpios y cortados en juliana. Cuece en agua hirviendo con sal las colas de los langostinos.

Abre los hojaldres por la mitad y rellénalos con el salteado de champiñones y verduras y las colas de los langostinos. Sirve con la crema de marisco con unas gotas de nata líquida.

TIEMPO DE ELABORACIÓN: 40 MINUTOS

LASAÑA DE VERDURAS

INGREDIENTES (4 p.): • 3 o 4 láminas de lasaña (de espinaca y al huevo) • 200 g de judías verdes • 4 zanahorias • $^1/_2$ coliflor • 1 puerro • 2 dientes de ajo • 2 tomates maduros • queso rallado • aceite, agua y sal. **Para la salsa bechamel:** • 3 cucharaditas de harina • 1 vaso de leche • aceite, perejil picado y sal.

ELABORACIÓN

Cuece la pasta en agua con sal y un chorro de aceite y refréscala. Cuece también las judías verdes, la zanahoria y la coliflor en agua con sal y cuando estén cocidas pícalas en trocitos.

Haz un sofrito con los dientes de ajo en láminas, el tomate troceado y el puerro en juliana. Sazona. Cuando esté hecho, agrega la verdura cocida y saltéalo todo junto. En una bandeja resistente al horno, coloca una capa de lasaña, encima el relleno de verdura, cúbrela con una nueva capa de lámina de lasaña y vuelve a colocar una capa de relleno y otra de lasaña (puedes hacer los pisos que desees). Prepara una bechamel con sus ingredientes.

Cúbrelo todo con bechamel y espolvorea la lasaña con queso rallado.

Finalmente, gratina durante unos 2 minutos y sirve.

TIEMPO DE ELABORACIÓN: 30-40 MINUTOS

INGREDIENTES (6-8 p.): • 200 g de pasta quebrada • 200 g de crema pastelera • 12 higos • 4 cuch. de nata montada • un puñado de frambuesas y grosellas • canela en polvo • unas hojitas de menta.

ELABORACIÓN

Forra un molde con la pasta quebrada bien estirada. Hornéalo hasta que quede como una galleta y déjalo enfriar. A continuación, extiende en el fondo la crema pastelera. Coloca sobre ella los higos pelados y abiertos por la mitad.

Hornea la tarta durante 3 minutos a horno fuerte.

Por último, desmóldala y decora con la nata montada, las frambuesas y las grosellas. Espolvorea con canela en polvo y sirve con unas hojitas de menta.

TIEMPO DE ELABORACIÓN: 35-40 MINUTOS

MENÚ 6

Primer plato

Sopa casera de fideos

Segundo plato

Albóndigas de cocido

Postre

Helado de plátano con chocolate

INGREDIENTES (4 p.): • 50 g de fideos (cabello de ángel) • 100 g de jamón • 1 cebolla • 1 puerro • 1 hoja de laurel • 1 huevo cocido • un trozo de pimiento morrón • 4 rodajas de pan • 1 l de caldo de ave o verduras • aceite, perejil picado y sal.

ELABORACIÓN

En una cazuela con un poco de aceite, rehoga la verdura picada fina, el laurel y el jamón en taquitos. Añade las rodajas de pan desmenuzadas.

Deja que cueza 10 minutos. Añade los fideos y espera 2 minutos más. Si es necesario, desespuma.

Agrega el huevo cocido y picado. Pon a punto de sal y sirve espolvoreado con perejil.

INGREDIENTES (4 p.): • 250 g de carne de zancarrón (morcillo) o carrilleras • 250 g de garbanzos cocidos • 2 zanahorias cocidas • 1 puerro cocido • harina • perejil picado • aceite. PARA LA SALSA DE TOMATE: • 4 tomates • 3 dientes de ajo • 1 cebolla • aceite • sal y azúcar.

ELABORACIÓN

Pasa los garbanzos, el puerro y las zanahorias por el pasapuré. Agrégale la carne picada y mézclalo todo bien (si queda demasiado ligero, añádele un poco de pan rallado). Dale forma de albóndigas.
Para preparar la salsa de tomate, pon a pochar en una cazuela la cebolla, los tomates y los dientes de ajo, todo limpio y troceado. Sazona y añade también una pizca de azúcar. Déjalo hacer durante 30 minutos. Pasa la salsa por un pasapuré.
Reboza las albóndigas en harina y fríelas en una sartén con aceite.
Sirve las albóndigas de cocido con la salsa de tomate y espolvorea con perejil picado. También puedes introducirlas en la salsa, déjalas hacer unos minutos y sirve.

TIEMPO DE ELABORACIÓN: 30-35 MINUTOS

INGREDIENTES (4 p.): • 3-4 plátanos • 50 g de azúcar • $^1/_4$ de l de nata líquida • $^1/_2$ limón • chocolate hecho.

ELABORACIÓN

Con ayuda de una batidora, haz un puré con los plátanos pelados y troceados, el azúcar y el zumo de medio limón.

Añade poco a poco este batido sobre la nata semimontada y mezcla cuidadosamente hasta obtener una pasta cremosa. Repártela en unas copas y ponlas en la parte más fría de la nevera durante 3 o 4 horas.

A la hora de servir, adorna el helado de plátano con un buen chorro de chocolate hecho.

TIEMPO DE ELABORACIÓN: 15-20 MINUTOS, MÁS EL ENFRIAMIENTO

MENÚ 7

Primer plato

Lentejas
guisadas

Segundo plato

Conejo con cerveza
y champiñones

Postre

Ensalada de
frutas con miel

INGREDIENTES (4 p.): • 320 g de lentejas • 1 cebolla roja • 2 zanahorias • 2 chorizos • 150 g de tocino ibérico • 1 morcilla • 1 cebolleta • 1 cuch. de pimentón (dulce o picante) • aceite, agua y sal • berza cocida para acompañar.

ELABORACIÓN

En una cazuela con agua, pon a cocer, a fuego lento, las lentejas con la cebolla picada y las zanahorias. Sazona y espera unos 45-50 minutos.

Aparte, cuece los chorizos y el tocino para desgrasarlos.

Sofríe la cebolleta, muy picada, en una sartén con aceite. Cuando se dore, agrega el pimentón, rehoga y añádeselo a las lentejas.

Trocea el tocino y los chorizos y agrégaselo al guiso mezclándolo bien.

Fríe la morcilla en rodajas.

Por último, sirve las lentejas en una legumbrera y coloca encima la morcilla frita. Acompaña este plato con berza cocida.

TIEMPO DE ELABORACIÓN: 45-50 MINUTOS

INGREDIENTES (4 p.): • un conejo de 1,5 kg (aprox.) • 2 cebolletas • $^1/_2$ pimiento rojo • 1 cuch. de harina • 1 vaso de agua • 1 vaso de cerveza • 4 dientes de ajo • 200 g de champiñones • 1 vaso de salsa de tomate • unas ramitas de tomillo • perejil picado • aceite de oliva • sal y pimienta.

ELABORACIÓN

Trocea el conejo, una vez limpio, salpimenta y guarda los higaditos.

Pica la cebolleta y el pimiento. Póchalos en una cazuela con aceite. Agrega 2 dientes de ajo y sal. Condimenta con el tomillo. Cuando estén bien pochados, añade los trozos de conejo y los higaditos y deja rehogar. Incorpora la harina, esperando hasta que se rehogue todo bien. Moja con la salsa de tomate, la cerveza y el agua. Mezcla todo bien y deja guisar a fuego lento durante 30-35 minutos hasta que esté tierno.

Trocea los champiñones, ya limpios, y saltéalos en una sartén con un chorrito de aceite junto con 2 dientes de ajo cortados en láminas y espolvorea con perejil picado.

Sirve el guiso de conejo con el salteado de champiñones por encima.

TIEMPO DE ELABORACIÓN: 50-60 MINUTOS

INGREDIENTES (4 p.): • 1 piña • $^1/_2$ limón • 1 pomelo • 1 manzana • 4 cuch. de miel • unas grosellas • unas hojas de menta.

ELABORACIÓN

Corta los extremos de la piña, pártela a lo largo y vacíala sin romperla. Reserva la pulpa después de haber retirado la parte leñosa.
Pela y corta en trocitos el pomelo y la manzana. Colócalos en un bol y añade la pulpa de piña troceada y las grosellas. Añade el zumo de medio limón, mézclalo todo bien y rellena con esta ensalada las medias piñas. Adereza con la miel y sirve adornado con unas hojas de menta.

INGREDIENTES (4 p.): • 8 codornices • 1 zanahoria • 1 cebolla • 2 puerros • 2 dientes de ajo • 1 l de aceite de oliva • $^1/_2$ l de vinagre • 3 hojas de laurel • unos granos de pimienta negra • una pizca de tomillo • 2 plátanos • un trozo de mantequilla • sal.

ELABORACIÓN

Limpia las codornices y átalas para que no se rompan. Pon a calentar en una cazuela el aceite y el vinagre. Incorpora las codornices saladas. Añade la cebolla, la zanahoria y el puerro cortados en juliana, los dientes de ajo, el laurel, la pimienta y el tomillo. Deja cocer todo a fuego lento durante 30 minutos. Retira la cuerda y sirve las codornices abiertas por la mitad y salsea con las verduras del escabeche. Acompaña con los plátanos partidos en bastoncitos y salteados con un trozo de mantequilla.

Este plato se puede comer tanto frío como caliente y se pueden guardar las codornices en su jugo para usarlas posteriormente.

TIEMPO DE ELABORACIÓN: 50-60 MINUTOS

INGREDIENTES (4-6 p.): • 4 yemas de huevo • 150 g de azúcar • 50 g de mantequilla • $^{1}/_{2}$ vaso de leche • 1 copita de vino dulce • 100 g de almendras molidas •
4 peras • 2 cuch. de mermelada. PARA LA PASTA QUEBRADA: • 200 g de harina • 100 g
de mantequilla • 1 cuch. de azúcar • 1 cuch. de agua • 1 pizca de sal. PARA ADOR-
NAR: • 25 g de almendras tostadas y trituradas • unas hojas de menta.

ELABORACIÓN

Mezcla los ingredientes de la pasta quebrada, haz una bola y déjala reposar 30 minutos. Estira la pasta en un molde y hornéalo a horno fuerte durante 8 minutos
aproximadamente hasta que esté tostada.
En un bol y con ayuda de la batidora, bate las yemas de huevo con el azúcar, la
mantequilla derretida, el vino dulce y las almendras molidas. Vete añadiendo la leche poco a poco y sigue mezclando.
Rellena con esta masa el molde de la tarta forrado con la pasta quebrada. Pela las
peras y pártelas por la mitad, quitando el corazón y las pepitas. Coloca los trozos
sobre la masa y métela todo al horno a 170 grados durante 20 minutos. Por último, desmolda la tarta, extiende la mermelada por encima y adorna con unas almendras y hojas de menta.

TIEMPO DE ELABORACIÓN: 40-45 MINUTOS

MENÚ 9

Primer plato

Macarrones al aroma de albahaca

Segundo plato

Lengua de ternera al vino tinto

Postre

Euskalgoxo

INGREDIENTES (4 p.): • 320 g de macarrones (de colores) • 1 cebolla roja y $^1/_2$ cebolla blanca • 3 tomates • 150 g de champiñones • 3 hojas de albahaca fresca • 50 g de queso rallado • 1 diente de ajo • sal y azúcar • aceite de oliva • agua.

ELABORACIÓN

Cuece los macarrones en abundante agua hirviendo con un chorro de aceite y sal. Escurre y reserva. (Puedes refrescarlos con agua fría.)

En una sartén con aceite, sofríe la cebolla picada, añade los tomates escaldados en agua hirviendo, pelados y troceados. Agrega un poco de sal y azúcar y sigue rehogando. Por último, incorpora los champiñones limpios y en láminas. Adereza con las hojas de albahaca picada y deja hacer 10-15 minutos.

En una sartén con aceite y 1 diente de ajo en láminas, saltea la pasta.

Sirve la pasta con la salsa y espolvorea con queso rallado.

TIEMPO DE ELABORACIÓN: 25 MINUTOS

INGREDIENTES (4 p.): • 800 g de lengua cocida y pelada • 3 patatas • 2 zanahorias • 2 pimientos verdes • 1 taza de guisantes cocidos • $^1/_4$ de l de caldo • $^1/_4$ de l de vino tinto • harina y huevo batido • 2 dientes de ajo • perejil picado • aceite de oliva y sal.

ELABORACIÓN

Corta la lengua en rodajas, sazona y rebózalas en harina y huevo batido. Fríe en aceite bien caliente con 2 dientes de ajo troceados. Reserva.

En una cazuela con aceite de oliva, rehoga las patatas en trocitos junto con las zanahorias y los pimientos, todo picado. Sazona y deja hacer durante 10 minutos aproximadamente. A continuación, moja con el caldo y el vino tinto, añade también los guisantes y reduce esta salsa otros 5 minutos a fuego no muy fuerte. Si la salsa queda muy ligera, añade un poco de harina de maíz o fécula diluida en agua. Machaca un poco algunas patatas.

Agrega la lengua rebozada en la salsa, espolvorea con perejil picado y sirve.

INGREDIENTES (4 p.): • 1 l de leche de oveja • un poco de cuajo • 3 manzanas reinetas • 1 cuch. de mantequilla • 2 copas de vino blanco seco • 2 cuch. de azúcar • 150 g de nata montada • 1 ramita de canela • unas láminas de manzana para decorar.

ELABORACIÓN

En un molde de boca ancha, prepara una cuajada con la leche hervida y templada y el cuajo y resérvala.

Pela, quita el corazón de las manzanas y trocea, colocándolas en una cazuela con el vino blanco, el azúcar, la canela y la mantequilla. Haz una compota a fuego bajo y con la cazuela bien tapada. Una vez hecha, deja que enfríe.

Echa la cuajada en una fuente y coloca alrededor la compota de manzana.

Decora con montoncitos de nata y acompaña con unas láminas de manzana.

TIEMPO DE ELABORACIÓN: 40-45 MINUTOS

MENÚ 10

Primer plato

Vainas con calabaza

Segundo plato

Fricando de ternera en salsa

Postre

Pudín dorado

INGREDIENTES (4 p.): • 400 g de judías verdes • 200 g de calabaza • 1 cebolla • 2 dientes de ajo • 1 cuch. de harina • aceite • sal y agua.

ELABORACIÓN

Limpia las judías verdes, pártelas por la mitad y trocea.
Cuécelas en una cacerola con agua, sal y un chorro de aceite durante unos 12 minutos para que queden al dente.
Mientras, pela y trocea la calabaza.
En otra cazuela con aceite, rehoga 1 cebolla y 2 dientes de ajo, todo picado y sazonado. Añade la calabaza, sazona y rehoga 4-5 minutos. Agrega una cucharadita de harina. Rehoga nuevamente e incorpora las judías y parte de su caldo de cocción (como un vaso). Deja hacer unos 5 minutos y sirve.

TIEMPO DE ELABORACIÓN: 25-30 MINUTOS

INGREDIENTES (4 p.): • 8 filetes de redondo de ternera • 1 cebolleta • $^{1}/_{2}$ kg de tomates maduros • $^{1}/_{2}$ vaso de vino blanco • $^{1}/_{4}$ de l de caldo de carne • 2 patatas • unos rabos de cebolletas • 4 guindillas frescas • harina • orégano y tomillo • perejil picado • aceite de oliva y sal.

ELABORACIÓN

Condimenta los filetes con la sal, el orégano y el tomillo. A continuación, pasa por harina y fríe en una sartén con aceite a fuego fuerte. Coloca los filetes en una cazuela.

En la misma sartén, haz un sofrito con la cebolleta picada muy fina y los tomates maduros, también muy picados. Sazona y cuando la verdura esté pochada, añade este sofrito a la cazuela con los filetes. Vierte el vino y el caldo y deja cocer todo a fuego lento durante unos 20 minutos, para que reduzca la salsa y la carne quede tierna.

En una sartén con aceite, fríe las patatas peladas y cortadas en dados. Cuando estén casi hechas, añade los rabos de las cebolletas, troceados, junto con las guindillas frescas y termina de hacer. Sazona y espolvorea con perejil.

Sirve la carne salseada con la fritada de patatas.

TIEMPO DE ELABORACIÓN: 30-40 MINUTOS

PUDÍN DORADO

INGREDIENTES (8 p.): • 9 cuch. de pan rallado • $^3/_4$ de l de leche • 1 copita de brandy • 6 cuch. de azúcar • 5 huevos • 100 g de pasas picadas • una ramita de vainilla y 1 palo de canela • caramelo para untar el molde. **PARA LA DECORACIÓN:** • nata montada • unas guindas confitadas • azúcar glas • unas hojas de menta.

ELABORACIÓN

En una cazuela, prepara un caramelo tostando el azúcar. Añade la canela y la vainilla y hierve con la leche (reserva un poco) hasta que se diluya bien el caramelo. Retira del calor y agrega las yemas disueltas en un poco de leche fría. Incorpora también el pan, las pasas remojadas, el brandy y por último, las claras batidas a punto de nieve. Mezcla todo bien y vierte este preparado en un molde caramelizado. Hornea al baño maría a 175 grados durante 45 minutos si el molde es grande y 30 minutos si es pequeño.

Sirve el pudín decorado con nata montada, unas guindas y unas hojas de menta. Por último, espolvoréalo con azúcar glas.

TIEMPO DE ELABORACIÓN: 60-70 MINUTOS

MENÚ 11

Primer plato

Hojas de repollo rellenas

Segundo plato

Cazuela de carrilleras de bacalao

Postre

Tarta de piña con piñones

INGREDIENTES (4 p.): • 8 hojas grandes de repollo • 250 g de carne picada • 1 vaso de arroz cocido • 1 diente de ajo • 1 pimiento verde • 1 puerro • aceite, agua, sal y pimienta. **PARA LA SALSA:** • 1 tomate maduro • 2 cebollas • 3 zanahorias • 5 champiñones • 2 puerros • aceite de oliva y sal • 1 vaso de agua.

ELABORACIÓN

Para preparar la salsa española, pon a rehogar toda la verdura bien limpia y troceada en una cazuela con aceite. Sazona y cuando esté todo bien pochado, vierte el agua y déjalo hacer durante 30 minutos. A continuación, pásala por un pasapuré y por el chino.
Escalda las hojas de repollo en agua hirviendo.
Aparte, pocha el diente de ajo, el pimiento y el puerro, todo bien picado, con una pizca de sal. Añade la carne picada, salpimentada y rehoga. Una vez que la carne esté hecha, deja templar y mézclala con el arroz.
Por último, rellena las hojas con el preparado anterior e introdúcelas en la salsa. Calienta 5 minutos aproximadamente a fuego lento y sirve.

TIEMPO DE ELABORACIÓN: 35-40 MINUTOS

INGREDIENTES (4 p.): • 800 g de carrilleras de bacalao fresco • 2 patatas • 1 cabeza y 2 dientes de ajo • 2 pimientos rojos asados y pelados • 1 cuch. de harina • perejil picado • aceite de oliva • sal y pimienta • 1 vaso de agua o caldo de pescado.

ELABORACIÓN

En una sartén con aceite, fríe las patatas partidas en rodajas muy finas junto con 1 cabeza de ajos enteros.

Aparte, salpimenta las carrilleras y saltéalas en una cazuela con aceite, donde habrás dorado 2 dientes de ajo y rehogado una cucharada de harina. Déjalo hacer 4-5 minutos.

Cuando las patatas estén casi hechas, añádeselas, escurridas de aceite, a las carrilleras.

Tritura los pimientos rojos asados con el agua, ayudándote de una batidora y agrégaselo a la cazuela de las carrilleras. Espolvorea con perejil y deja hacer a fuego suave otros 4-5 minutos. Sirve.

TIEMPO DE ELABORACIÓN: 20-25 MINUTOS

INGREDIENTES (6-8 p.): • 1 kg de piña (natural o en almíbar) • 200 g de pasta quebrada • 3 cuch. de crema pastelera • mermelada de melocotón o albaricoque • 100 g de piñones tostados • 1 puñado de pasas de corinto • $^1/_2$ copita de ron o licor • unas hojas de menta.

ELABORACIÓN

Extiende la crema sobre una tartaleta de pasta previamente horneada hasta conseguir un color de galleta (alrededor de 10 minutos) y coloca las pasas maceradas en ron y los piñones tostados. Dispón encima la piña en rodajas cubriendo toda la tartaleta. Úntala con mermelada y decora con unas hojas de menta.

MENÚ 12

Primer plato

Lentejas
con conejo

Segundo plato

Crepes de mariscos
de Castilla

Postre

Flan de manzana

INGREDIENTES (4 p.): • 1,200 kg de conejo • 200 g de lentejas • 100 g de tocineta en adobo • 1 pimiento verde • 1 puerro • 1 cebolla • 2 zanahorias • sal y pimienta • aceite y agua • 1 hoja de laurel. **PARA EL REFRITO:** • 4 dientes de ajo • 1 hoja de laurel • 1 cuch. de pimentón • aceite.

ELABORACIÓN

En una cazuela con aceite, dora la tocineta cortada en dados. Añade el conejo troceado y salpimentado. Reserva el hígado.

Rehógalo unos minutos. Agrega la verdura: pimiento, cebolla, puerro y zanahoria, todo troceado. Vuelve a rehogar y echa las lentejas. Cubre con agua, pon a punto de sal y añade el hígado troceado. Guísalo durante 50 minutos.

Prepara un refrito: en una sartén con aceite, dora los dientes de ajo en láminas con la hoja de laurel troceada. A continuación, añade el pimentón y rehoga fuera del fuego. Vierte sobre el guiso, mézclalo bien y sirve.

TIEMPO DE ELABORACIÓN: 50 MINUTOS

INGREDIENTES (4 p.): • 1 vaso de salsa de tomate • aceite de oliva. **Masa para 12 crepes (aprox.):** • 1 l de leche • 8 huevos • 350 g de harina • 2 cuch. de aceite • sal y perejil picado • una pizca de nuez moscada • un trozo de mantequilla (para freír). **Mariscos de Castilla:** • 1 morcilla de arroz • 1 chorizo • 250 g de mollejas de cordero • 12 lonchas de panceta de cerdo.

ELABORACIÓN

Prepara la masa de las crepes y fríelas en una sartén untada con un poco de mantequilla. Reserva las crepes fritas.

Saltea las mollejas troceadas y reserva.

En otra sartén con un poco de aceite, fríe el chorizo y la morcilla sin piel. A continuación, añade las mollejas y deja hacer durante 2 minutos. Desgrasa y rellena las crepes con esta mezcla.

Fríe las crepes en una sartén con un chorrito de aceite, hasta que se doren y queden crujientes.

Sirve las crepes en una fuente con salsa de tomate y acompaña con panceta frita en lonchas.

TIEMPO DE ELABORACIÓN: 20-30 MINUTOS

INGREDIENTES (8 p.): • 4 manzanas hermosas • 4 cuch. de azúcar • 8 huevos • 1 l de leche • una pizca de canela o vainilla • un poco de caramelo. **Para decorar:** • unas frutas rojas (grosellas, fresas, frambuesas...) • leche • nata líquida.

ELABORACIÓN

Hornea las manzanas peladas, descorazonadas y cortadas en gajos de un dedo de grosor aproximadamente. Espolvoréalas con azúcar (como una cucharada) y deja que se hagan hasta que estén doradas.

En un bol, bate los huevos, añade 3 cucharadas de azúcar y sigue batiendo. Después agrega la leche hervida con una pizca de canela o vainilla. Mézclalo todo bien. Extiende el caramelo en un molde y coloca las manzanas en el fondo. A continuación, agrega la crema anterior.

Hornea el molde al baño maría a 180 grados durante 40 minutos. Tardará más o menos tiempo dependiendo del tamaño del molde.

Bate las frutas rojas con un poco de leche. Reserva algunas para decorar.

Sirve el flan cortado en raciones con la salsa de frutas y adornado con un chorrito de nata líquida y unas frutas.

TIEMPO DE ELABORACIÓN: 60-70 MINUTOS, MÁS EL ENFRIAMIENTO

MENÚ 13

Primer plato

Pimiento adobado con champiñones

Segundo plato

Redondo mechado

Postre

Tarta de galletas

INGREDIENTES (4 p.): • 4 pimientos morrones • 200 g de champiñones o setas • 2 hojas de laurel • $^1/_2$ vaso de vinagre de vino • 3 cuch. de azúcar morena • 1 cebolla • aceite de oliva y sal.

ELABORACIÓN

Asa los pimientos, untados con aceite y sal, en el horno a 180 grados durante 15 minutos por cada lado.

Deja enfriar, colócalos en un bol y pélalos retirando también sus semillas. Guarda el jugo que vayan soltando.

Corta los pimientos en tiras y échalos en el mismo bol. Limpia los champiñones y córtalos en láminas muy finas, añádeselos a los pimientos junto con el laurel, el azúcar y el vinagre. Mézclalo todo bien y deja reposar en la nevera durante una noche.

Sirve este plato adornado con trozos grandes de cebolla.

TIEMPO DE ELABORACIÓN: 30 MINUTOS

INGREDIENTES (4 p.): • 1,250 kg de redondo • 200 g de tiras de panceta o tocino • 2 zanahorias • 1 cebolla • 2 tomates • 2 vasos de vino tinto • aceite • sal y pimienta • perejil picado.

ELABORACIÓN

Con un aparato de mechar, mecha el redondo con tiras de tocino. De esta forma
quedará más jugoso.
Salpimenta y dóralo en una tartera con aceite.
Una vez dorado, agrega las zanahorias, la cebolla y los tomates, todo bien limpio
y troceado. Sazona la verdura y rehoga unos minutos. Cubre con el vino (si es ne-
cesario más líquido, agrega caldo o agua) y hornea a 170 grados durante 40-45 mi-
nutos aproximadamente.
A continuación, pasa la salsa por el pasapuré y reserva.
Corta el redondo en tajadas y colócalas en una fuente.
Por último, salsea y sirve espolvoreado con perejil picado.

TIEMPO DE ELABORACIÓN: 60-70 MINUTOS

TARTA DE GALLETAS

INGREDIENTES (4 p.): • 20 galletas rectangulares (aprox.) • 200 g de crema de cacao • 2 cuch. de chocolate en polvo • 1 vaso de leche • 3 cuch. de mermelada • 100 g de nata montada • 200 g de chocolate de cobertura.

ELABORACIÓN

Unta las galletas sin que se reblandezcan del todo, con leche a la que habrás añadido chocolate en polvo y vete colocándolas en una bandeja rectangular. Después, úntalas con crema de cacao y sigue formando varias capas con las galletas, alternando al untar, la mermelada y la crema de cacao. Con el chocolate de cobertura, prepara un chocolate espeso y cubre con él la tarta.

Enfría la tarta en la nevera durante 8 o 10 horas. Pasado este tiempo, decórala con la nata y sirve.

TIEMPO DE ELABORACIÓN: 20-25 MINUTOS, MÁS EL ENFRIAMIENTO

MENÚ 14

Primer plato

Garbanzos con fritada de pimientos

Segundo plato

Pollo al aroma de Pedroñeras

Postre

Torta de vainilla y canela

INGREDIENTES (4 p.): • 4 huevos • 5 dientes de ajo • 4 pimientos verdes asados • 2 pimientos rojos asados • 2 cebollas (blanca y roja) • 1 tomate • aceite y sal. **PARA LOS GARBANZOS:** • 300 g de garbanzos • 1 puerro • 1 cebolla • 1 zanahoria • agua y sal • 4 huevos.

ELABORACIÓN

Cuece en agua caliente los garbanzos que habrás puesto a remojo en la víspera, junto con un puerro, una cebolla y una zanahoria, durante una hora y media aproximadamente a fuego lento. Al final de la cocción añade la sal.

En una cazuela con aceite, pon a pochar las cebollas picadas en juliana. Agrega 3 ajos pelados y en láminas y el tomate, pelado y troceado. Sazona y cuando esté todo bien pochado, incorpora los pimientos asados, pelados y en tiras. Mezcla todo bien.

Por último, echa los garbanzos cocidos y escurridos, deja hacer unos minutos y sirve. Acompaña este plato con unos huevos fritos en aceite bien caliente con 2 dientes de ajo, pelados y troceados.

TIEMPO DE ELABORACIÓN: 1$^1/_2$-2 HORAS

INGREDIENTES (4 p.): • Un pollo de 1,5 kg (aprox.) • 5 dientes de ajo • $^1/_2$ pimiento rojo • 1 puerro • 2 patatas • 2 cuch. de harina • $^1/_2$ vaso de vino blanco • perejil picado • aceite de oliva • sal y pimienta • agua.

ELABORACIÓN

Limpia el pollo y retírale la piel. Trocéalo y salpimenta.

En una cazuela con un chorro de aceite, pocha el pimiento troceado y el puerro bien picado. Añade el pollo y rehógalo.

Aparte, en un mortero, maja los ajos pelados con sal gorda. Agrega este majado a la cazuela con el pollo. Añade la harina y rehoga. Moja con el vino, remueve para que no se hagan grumos y cubre con agua. Deja cocer durante 30-35 minutos.

En una sartén con aceite caliente, fríe las patatas peladas y troceadas. Una vez fritas, escúrrelas bien y agrégalas al guiso. Deja cocer a fuego lento 5 minutos. Espolvorea con perejil picado y sirve.

TIEMPO DE ELABORACIÓN: 40-50 MINUTOS

INGREDIENTES (6-8 p.): • 400 g de harina • 2 cucharaditas de levadura • 4 huevos • $^1/_2$ l de leche • un chorro de nata líquida • 300 g de azúcar avainillado • canela en polvo • mantequilla y harina para untar el molde • natillas, chocolate hecho y azúcar glas.

ELABORACIÓN

En un bol, echa la harina tamizada con la levadura. Añade el azúcar avainillado y vete mezclando todo con una batidora a la vez que añades la nata, los huevos y la leche poco a poco. Espolvorea con canela y mezcla de nuevo. Echa este preparado en un molde untado con mantequilla y enharinado. Hornea a 175 grados durante 10 minutos y otros 30 minutos bajando la temperatura a 155 grados. Deja enfriar y desmolda. Decora esta torta con azúcar glas y chocolate hecho. Sírvela acompañada de unas natillas.

TIEMPO DE ELABORACIÓN: 50-55 MINUTOS, MÁS EL ENFRIAMIENTO

MENÚ 15

Primer plato

Pasta al aroma de Miguel de la Quadra

Segundo plato

Verdel con mejillones

Postre

Batido de peras

INGREDIENTES (4 p.): • 250 g de pasta • $^1/_2$ kg de guiso de cordero (u otro guiso de carne) que os haya sobrado • 1 tomate hermoso • $^1/_2$ cebolla roja • 1 cebolla o cebolleta • albahaca y nuez moscada • agua, aceite y sal.

ELABORACIÓN

En abundante agua hirviendo con un chorro de aceite y sal, cuece la pasta, escurre y refréscala con agua fría.

Para preparar la salsa, escalda el tomate en agua hirviendo y pélalo.

En una cazuela con aceite, pocha el tomate troceado junto con las cebollas, también picadas. Condimenta con unas hojas de albahaca picada y nuez moscada. Cocina 8-10 minutos esta salsa y pon a punto de sal. Añade la pasta y mezcla bien. Agrega otra pizca de nuez moscada.

Calienta a fondo el cordero guisado y sirve en una fuente, con la pasta en el centro y el guiso alrededor.

TIEMPO DE ELABORACIÓN: 20-25 MINUTOS

INGREDIENTES (4 p.): • 2 verdeles o caballas • 16 mejillones • agua, verduras y unos granos de pimienta (para cocer los mejillones) • 2 dientes de ajo • aceite de oliva • sal y pimienta • $^1/_2$ l de crema de marisco ya preparada • 8 puntas cocidas de espárragos trigueros.

ELABORACIÓN

Limpia los verdeles, quítales las espinas y filetéalos. Salpiméntalos y fríelos en una sartén con aceite y 2 dientes de ajo, enteros y con piel.

Por otra parte, cuece los mejillones en una vaporera con agua, verduras y pimienta (hasta que se abran) durante 4-5 minutos. Retira la carne de los mejillones de las conchas.

Sirve el pescado en un plato o fuente cubierto con la crema de marisco y decora con los mejillones y las puntas de espárragos.

TIEMPO DE ELABORACIÓN: 15-20 MINUTOS

INGREDIENTES (4 p.): • 3 peras maduras • 1 vaso de leche • 5 bolas de helado de vainilla o nata • 4 cuch. de azúcar • un puñado de pasas • 1 ramita de canela • canela en polvo.

ELABORACIÓN

Pela y quita las pepitas a las peras y pártelas en trozos pequeños. Calienta y hierve la leche con la ramita de canela, las pasas y el azúcar. Deja enfriar la leche, échala en un bol y retira el palo de canela. Después, añade las peras y el helado. Bate todo bien y coloca el batido en unas copas decorándolas con la canela en polvo.

TIEMPO DE ELABORACIÓN: 30-35 MINUTOS

MENÚ 16

Primer plato

Ensalada de otoño

Segundo plato

Col lombarda con tropiezos

Postre

Orejas

INGREDIENTES (4 p.): • 1 pepino • 2 cebolletas • 2 patatas cocidas • 100 g de lombarda • 12 puntas de espárragos • 1 pimiento rojo • 1 pimiento verde • 100 g de queso • aceite de oliva • vinagre de sidra • sal y pimienta • perejil picado.

ELABORACIÓN

Coloca en el fondo de una fuente la patata pelada y partida en lonchas finas. A continuación, el pimiento verde cortado en aros y la lombarda en juliana. Añade el pepino pelado, cortado en rodajas y las puntas de los espárragos.

Decora con unos taquitos de queso y la cebolleta en juliana.

Por último, corta el pimiento rojo en aros y fríelos en una sartén con aceite. Añade estos aros a la ensalada, sazona y acompáñala con una vinagreta hecha con aceite de oliva, vinagre de sidra, perejil picado y una pizca de sal y pimienta.

TIEMPO DE ELABORACIÓN: 15-20 MINUTOS

INGREDIENTES (4 p.): • 1 col lombarda • 3 patatas cocidas • $^1/_2$ kg de costilla de cerdo cocida • 1 morcilla cocida • 4 dientes de ajo • perejil picado • aceite de oliva • agua y sal.

ELABORACIÓN

Trocea la col, retirando el tronco y cuécela en agua con sal y un chorro de aceite. Déjala cocer durante 20 minutos. Escúrrela y reserva.

En una sartén con aceite, dora los ajos pelados y picados. Agrega la col y rehógala. Añade la costilla cocida, la patata pelada y cortada en lonchas gruesas y la morcilla. Echa un chorro de aceite crudo por encima y hornea a 180-190 grados durante 5 minutos. Espolvorea con perejil picado y sirve.

TIEMPO DE ELABORACIÓN: 40 MINUTOS

INGREDIENTES (4 p.): • 1 huevo • aceite • harina • 2 nueces de mantequilla • una pizca de sal • un chorrito de anís • azúcar glas.

ELABORACIÓN

Derrite la mantequilla, añade la harina que admita y una pizca de sal. Agrega luego el huevo batido, después el anís y un chorrito de aceite. Mezcla todo bien y deja enfriar. Estira la masa con un rodillo y córtala en láminas pequeñas. Fríelas en abundante aceite dándoles la forma que te apetezca. Una vez fritas, espolvoréalas con azúcar glas.

TIEMPO DE ELABORACIÓN: 35-40 MINUTOS

MENÚ 17

Primer plato

Sopa mallorquina

Segundo plato

Congrio al azafrán con chirlas

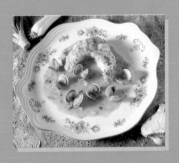

Postre

Tarta de nueces

INGREDIENTES (4 p.): • 1 cebolla • 1 tomate • 5 dientes de ajo • 1 pimiento • 4 hojas de col • ¹/₂ barra de pan de la víspera • 1 cuch. de pimentón dulce • perejil picado • 1 l de agua o caldo • aceite de oliva • sal.

ELABORACIÓN

En una cazuela con aceite, prepara un sofrito con cebolla, tomate, 2 dientes de ajo y pimiento. Todo limpio y picadito. Sazona, agrega agua o caldo y deja cocer unos minutos. Seguidamente, agrega las hojas de col troceadas y deja al fuego entre 10-15 minutos.

Aparte, en una tartera con un chorrito de aceite dora 3 dientes de ajo pelados y cortados en láminas. A continuación, coloca en capas las rebanadas finas de pan alternando con las hojas de col y las verduras. Agrega el caldo de la cocción de las verduras para que se empape el pan. Deja reposar.

En una sartén con un chorro de aceite, haz un refrito de pimentón. Agrega un cho-rrito de agua, espolvorea con perejil y viértelo sobre la sopa.

Puedes servirlo en caliente o en frío.

TIEMPO DE ELABORACIÓN: 25-30 MINUTOS

INGREDIENTES (4 p.): • 1 kg de congrio (en rodajas) • 300 g de chirlas • 1 pimiento verde • 1 cebolleta • 1 tomate • 2 dientes de ajo • 1 vaso de caldo de pescado • 1 vaso de txakoli o vino blanco • harina • unas hebras de azafrán • aceite de oliva • sal y pimienta • perejil picado.

ELABORACIÓN

En una cazuela con aceite, pocha la cebolleta, el ajo y el pimiento, todo bien picadito. Agrega el tomate troceado y rehoga bien. Seguidamente, añade una cucharada de harina, remueve y moja con el txakoli y el caldo.
Salpimenta el congrio partido en rodajas, rebózalo con un poco de harina y colócalo en la cazuela. Agrega las chirlas. Espolvorea con el azafrán y deja cocer a fuego lento 3-4 minutos aproximadamente por cada lado. Echa el perejil picado y sirve.

INGREDIENTES (6-8 p.): • 250 g de nueces peladas • 250 g de azúcar glas • 250 g de mantequilla • 4 huevos • 30 g de harina • un chorrito de licor de cereza. **PARA DECORAR:** • nueces • azúcar glas • mermelada de albaricoque.

ELABORACIÓN

En un bol, mezcla con una batidora eléctrica la mantequilla a punto pomada con el azúcar. Añade los huevos uno a uno y el licor sin dejar de batir.

Con la ayuda de una cuchara mezcla con las nueces picadas y la harina. Vierte este preparado sobre un molde de base desmontable cubierto con una tela antiadherente (o untado con mantequilla y enharinado). Hornea a 170 grados durante 25-30 minutos. Desmolda en frío y unta esta tarta con mermelada de albaricoque. Por último, decora con medias nueces y espolvorea con azúcar glas.

TIEMPO DE ELABORACIÓN: 60-70 MINUTOS

MENÚ 18

Primer plato

Pasta
con alcaparras

Segundo plato

Carne rellena
con guindillas

Postre

Bizcocho de yogur
y chocolate

PASTA CON ALCAPARRAS

INGREDIENTES (4 p.): • 350 g de pasta (sevillanas) • 1 cebolleta • 1 tomate • albahaca y perejil picados • un puñado de alcaparras y pepinillos en vinagre • 2 huevos cocidos • aceite de oliva • sal y agua.

ELABORACIÓN

Cuece la pasta en abundante agua hirviendo con sal y un chorro de aceite. Escurre y refresca con agua fría.

Aparte, en una cazuela con agua hirviendo escalda el tomate durante 1 minuto. Pélalo y trocea.

En una tartera con aceite, pon a pochar la cebolleta picadita. Cuando esté rehogada, añade los trozos de tomate. Sazona y condimenta con albahaca. Pica los pepinillos y agrégaselos junto con las alcaparras. Deja rehogar unos minutos y añade la pasta escurrida. Mezcla todo bien con cuidado. Espolvorea con perejil picado y albahaca. Deja hacer a fuego lento unos minutos, agrega los huevos cocidos y picados. Listo para servir.

INGREDIENTES (4 p.): • 8 filetes muy finos • 4 lonchas de queso graso • aceite de oliva • sal. **PARA EL RELLENO:** • 2 pimientos verdes • 4 guindillas en vinagre • 8 lonchas de jamón serrano. **GUARNICIÓN:** • 8 pimientos del piquillo • aceite de oliva • sal.

ELABORACIÓN

En un bol, mezcla los pimientos verdes y las guindillas, todo bien picadito.

Aparte, extiende bien un filete y coloca encima una loncha de jamón. Después, añade una capa con la mezcla del pimiento y la guindilla. Vuelve a colocar otra loncha de jamón y por último, cubre con otro filete extendido. Sazona.

Repite esta operación hasta tener preparados todos los filetes.

Fríelos con cuidado, de uno en uno, en una sartén con aceite muy caliente y a fuego fuerte.

Coloca los filetes rellenos, una vez fritos, en una fuente resistente al calor. Cúbrelos con las lonchas de queso y gratina durante unos minutos en el horno.

Sirve los filetes rellenos en la fuente, acompañados con los pimientos del piquillo fritos en aceite y sazonados.

TIEMPO DE ELABORACIÓN: 15-20 MINUTOS

INGREDIENTES (6-8 p.): • 3 huevos • 1 yogur natural • la misma medida de azúcar • la misma medida de harina • $^1/_2$ medida de aceite • ralladura de limón • 1 sobre de levadura • 50 g de cacao en polvo • mantequilla • azúcar glas.

ELABORACIÓN

En un bol bate, con la ayuda de una varilla, los huevos, el yogur, el azúcar, el cacao, el aceite y la ralladura de limón. Después, agrega la harina con la levadura, mézclalo todo bien y vierte la masa en un molde untado con mantequilla. Métclo a horno medio, 160-170 grados, de 25 a 30 minutos. Pasado este tiempo saca el molde del horno, deja que se enfríe y desmolda el bizcocho. Espolvorea con azúcar glas y sirve.
Puedes acompañarlo con chocolate hecho.

TIEMPO DE ELABORACIÓN: 50-55 MINUTOS, MÁS EL ENFRIAMIENTO

MENÚ 19

Primer plato

Ensalada de
embutidos
con talos

Segundo plato

Brocheta de
cordero y ternera

Postre

Natillas
de moras

INGREDIENTES (4 p.): • 800 g de fiambre: jamón cocido, galantina, mortadela, cabeza de jabalí, etcétera. **PARA LA VINAGRETA:** • 1 cebolleta • 12 guindillas en vinagre • 8 pepinillos en vinagre • aceite de oliva • vinagre • sal gorda. **PARA EL TALO:** • 500 g de harina de maíz • 200 ml de agua (aprox.) • sal.

ELABORACIÓN

Prepara una masa (compacta, húmeda y no pegajosa) con harina de maíz, agua y una pizca de sal.

En una superficie plana espolvoreada con harina, aplasta y estira un trozo de masa hasta que te quede una torta finita. Repite esta operación obteniendo así suficientes tortas (talos). Fríe las tortas en una sartén sin aceite a fuego fuerte y reserva.

Prepara diferentes platos alternando las lonchas de los fiambres en rollitos o extendidas.

Para elaborar la vinagreta, corta en juliana fina la cebolleta y trocea las guindillas y los pepinillos. Mézclalo en un bol y añade sal, aceite y vinagre.

Aliña con esta vinagreta la ensalada y sirve. Acompaña con las tortas de maíz (talos).

TIEMPO DE ELABORACIÓN: 45-50 MINUTOS

INGREDIENTES (4 p.): • 600 g de carne de cordero y ternera • 2 pimientos verdes • 1 pimiento rojo • sal y pimienta • aceite. **PARA LA SALSA:** • 1 cuch. de mostaza • 1 cuch. de pimentón dulce • 1 cuch. de azúcar • 1 chorro de vinagre • 6 cuch. de aceite de oliva. **PARA ACOMPAÑAR:** • 100 g de pasta • 1 manzana • 1 cebolleta • agua, sal, aceite y perejil picado.

ELABORACIÓN

Mezcla en un bol todos los ingredientes de la salsa y remueve hasta que estén bien mezclados. Ponlo en una salsera (también puedes utilizar la salsa caliente).

Trocea la carne deshuesada en tacos. Corta los pimientos y prepara las brochetas colocando alternativamente un trozo de carne de cordero, un pimiento, carne de ternera, un pimiento, etcétera. Cuando tengas listas todas las brochetas, las salpimentas y las colocas en la parrilla, 5 minutos por cada lado, con unas gotitas de aceite.

Aparte, cuece la pasta en abundante agua con sal. Escúrrela y reserva. En una sartén con un poco de aceite, saltea la cebolleta cortada en juliana y la manzana cortada en gajos. Incorpora la pasta y rehógala unos minutos. Espolvorea con perejil picado y sirve como acompañamiento de las brochetas previamente salseadas por encima.

TIEMPO DE ELABORACIÓN: 20 MINUTOS

INGREDIENTES (6-8 p.): • 1 l de leche • 8 cuch. de mermelada de moras • 1 cuch. de azúcar • 3 cuch. de harina de maíz refinada • unas moras silvestres • canela en polvo • unas hojas de menta.

ELABORACIÓN

Calienta la leche con el azúcar y la harina de maíz previamente diluida en un poco de leche fría. Sigue calentando y removiendo hasta que espese.

Retira la crema del fuego y reserva parte. Al resto, añádele la mermelada colada procurando que se mezcle bien.

La mermelada puedes prepararla reduciendo al calor moras con azúcar (un kg de azúcar por cada kg de moras) y colándola a continuación.

Por último, vierte las natillas en copas de postre alternando los dos colores. Deja enfriar y sirve estas natillas de moras espolvoreadas con canela y decoradas con unas moras silvestres y unas hojas de menta.

TIEMPO DE ELABORACIÓN: 30-35 MINUTOS

MENÚ 20

Primer plato

Pisto a la guipuzcoana

Segundo plato

Redondo mechado asado

Postre

Peras al vapor de menta

INGREDIENTES (4 p.): • 2 cebollas • 2 tomates maduros • 2 pimientos verdes • 1 pimiento morrón • 2 pimientos rojos asados y pelados • 2 dientes de ajo • 200 g de jamón serrano • aceite y sal • 4 huevos.

ELABORACIÓN

En una cazuela, rehoga las cebollas, los pimientos verdes y el pimiento morrón, los tomates y 2 dientes de ajo, todo troceado. Añade también el jamón en tacos. Deja pochar durante 15 minutos aproximadamente a fuego lento.

Añade los pimientos, todos en tiras (reserva la mitad) y los huevos. Tapa y espera unos 3 minutos hasta que se cuajen. Gratínalo durante 1-2 minutos. Sirve espolvoreado con perejil picado.

También puedes preparar este pisto con los huevos fritos en vez de estrellados.

Acompaña con una ensalada de pimientos rojos en tiras aliñados con aceite de oliva y sal.

TIEMPO DE ELABORACIÓN: 30 MINUTOS

INGREDIENTES (4 p.): • 1 kg de redondo de ternera • 150 g de tocino blanco salado • 1 cebolla • 1 tomate • 1 zanahoria • 1 pimiento verde • 3 dientes de ajo • 3 patatas • 1 copa de brandy o vino blanco • aceite de oliva • sal y pimienta • $^1/_2$ l de caldo • 1 cucharada de harina de maíz diluida • perejil picado.

ELABORACIÓN

Mecha el redondo con el tocino cortado en tiras ayudándote con un mechador. Salpimenta el redondo y ponlo a dorar en una tartera con aceite. Cuando esté dorado añade la verdura picada: la cebolla, el tomate, la zanahoria, el pimiento verde y los ajos. Rehógalo todo durante unos minutos hasta que coja color. Añade el brandy y el caldo y hornéalo durante 1 hora aproximadamente a 180 grados. Saca el redondo y reserva. Coloca las verduras con su caldo en una cazuela y redúcela durante unos minutos añadiendo una cucharada de harina de maíz diluida en agua para que engorde. Después, pasa esta salsa por la batidora y ponla a punto de sal. Corta el redondo en lonchas y colócalas en una fuente, salsea y acompáñalo con unas patatas fritas en aceite bien caliente y espolvoreadas con perejil picado.

TIEMPO DE ELABORACIÓN: 80-90 MINUTOS

INGREDIENTES (4 p.): • 4 peras hermosas • 2 ramitos de menta • 4 cucharadas de azúcar • 2 palos de canela • 1 limón • unas guindas confitadas • canela en polvo • unas hojas de menta • agua.

ELABORACIÓN

En una cazuela vaporera, pon 3 o 4 dedos de agua con los palos de canela, el azúcar y la menta. Pela las peras y frótalas con medio limón para evitar que se oscurezcan. Cuécelas al vapor durante 35-40 minutos, hasta que estén tiernas. Saca las peras y resérvalas. Cuela el caldo y caliéntalo hasta que se reduzca a un jarabe (tardará otros 30 minutos aproximadamente).

Por último, sirve las peras en mitades y descorazonadas (puedes presentar cada mitad cortada en abanico) y decóralas con canela en polvo, guindas confitadas y unas hojitas de menta.

MENÚ 21

Primer plato

Canelones rebozados en salsa

Segundo plato

Alcachofas con mollejas confitadas

Postre

Brazo de gitano

INGREDIENTES (4 p.): • 12 canelones • 3-4 cuch. de bechamel • 2 zanahorias • 2 puerros • 50 g de espinacas • $^1/_4$ de coliflor • harina y huevo batido • 2 yemas de huevo cocido • perejil picado • sal y agua • aceite de oliva.

ELABORACIÓN

Limpia y cuece por separado las zanahorias, las espinacas y la coliflor. Una vez cocidas las hortalizas, pícalas y reserva el caldo.

Aparte, en una cocedera, cuece la pasta en abundante agua con sal, escúrrela y reserva.

En una sartén con un chorro de aceite, rehoga los puerros picaditos, seguidamente, agrega la mezcla de las hortalizas cocidas y picaditas. Pon a punto de sal y añade 2 o 3 cucharadas de bechamel. Remueve y retira del fuego.

Rellena los canelones con la mezcla de las hortalizas y la bechamel. Cuando tengas todos los canelones rellenos, rebózalos en harina y huevo batido. Fríelos en aceite bien caliente y reserva.

En una tartera con un chorrito de aceite, rehoga 2 cucharadas de harina. Moja con el caldo de cocer la verdura (un vaso) sin parar de remover. Introduce en esta salsa los canelones rebozados. Agrega por encima las yemas de huevo cocido picaditas y deja cocer a fuego lento 2 minutos. Espolvorea con perejil y sirve.

TIEMPO DE ELABORACIÓN: 40-50 MINUTOS

INGREDIENTES (4 p.): • 12 alcachofas • 4 mollejas de pato confitadas • 2 zanahorias cocidas • 2 patatas cocidas • 2 cucharaditas de harina • 3 dientes de ajo • aceite de oliva • $^1/_2$ limón • agua y sal.

ELABORACIÓN

Limpia bien las alcachofas, frótalas con limón y cuécelas en una cazuela con agua hirviendo y sal durante 25 minutos. Escurre y reserva. Reserva también el caldo de cocción.

Aparte, en una tartera con aceite, dora los ajos pelados y fileteados. Añade la harina y rehoga. Moja con el caldo (un vaso) y agrega las mollejas troceadas, las patatas peladas, las zanahorias y las alcachofas troceadas. Mezcla con cuidado y déjalo hacer a fuego lento unos 5 minutos. Sirve.

INGREDIENTES (6-8 p.): • azúcar glas. **PARA EL BIZCOCHO:** • 4 huevos • 100 g de azúcar • 100 g de harina • 1 sobre de levadura. **PARA EL RELLENO:** • 200 g de crema pastelera.

ELABORACIÓN

Bate las yemas con la mitad del azúcar hasta que estén espumosas. Monta las claras a punto de nieve y cuando estén casi montadas, añade el resto del azúcar y agrégaselo a las yemas. Bate bien la mezcla.

Añade después la harina con la levadura mezclando con una espátula.

Coloca un papel de cebolla en una placa de horno y extiende sobre él la masa. Hornea a temperatura media, 160-170 grados, hasta que el bizcocho esté hecho. Tardará unos 10 o 12 minutos.

Después colócalo sobre la mesa de trabajo y cuando esté frío cúbrelo con la crema pastelera. Enróllalo poco a poco y con cuidado para que no se rompa. Espolvorea con azúcar glas y sirve.

TIEMPO DE ELABORACIÓN: 35-40 MINUTOS

MENÚ 22

Primer plato

Ajo
de harina

Segundo plato

Revuelto de
mollejas de cordero
y patatas

Postre

Soufflé casero

INGREDIENTES (4 p.): • 350 g de setas • 200 g de chorizo fresco • 200 g de tocino ibérico • 3 patatas • 2 tomates • 1 pimiento verde • 4 dientes de ajo • 2 guindillas de cayena • unas hebras de azafrán • unos clavos • caldo o agua • aceite de oliva y sal.

ELABORACIÓN

En una cazuela con aceite, fríe los ajos enteros y pelados. Una vez fritos, retíralos y machácalos en un mortero con los clavos, las guindillas y el azafrán. Reserva el majado.

A continuación, en la misma cazuela, rehoga el tocino en trocitos y el chorizo, también troceado. Agrega las setas bien limpias y troceadas y sigue rehogando. Añade las patatas peladas y troceadas, el tomate y el pimiento picados. Una vez que esté todo rehogado, moja con el caldo o agua hasta cubrir y deja cocer 25 minutos. Desgrasa y pon a punto de sal. Deja reposar 8-10 minutos y sirve.

TIEMPO DE ELABORACIÓN: 35-40 MINUTOS

INGREDIENTES (4 p.): • 300 g de mollejas de cordero • 1 manojo de ajos tiernos • 3 patatas • 6 huevos • 8 pimientos del piquillo • aceite de oliva • sal.

ELABORACIÓN

En una sartén con abundante aceite, fríe a fuego suave las patatas peladas y cortadas en lonchitas. Trocea los ajetes y échalos en la sartén. Cuando empiecen a estar dorados, agrega las mollejas, limpias y picaditas en trozos pequeños, y sofríelas a fuego fuerte. Desgrasa y pon a punto de sal. Con cuidado porque saltan.

En otra sartén, con un poco de aceite, pon a freír los pimientos a fuego lento. Aparte, bate los huevos y añádeselos a la sartén con los ajetes, las patatas y las mollejas, removiendo hasta que cuaje el huevo. Sirve con los pimientos.

TIEMPO DE ELABORACIÓN: 20-30 MINUTOS

INGREDIENTES (4 p.): • 3 plátanos • 16 bizcochos de espuma o soletilla • 1 vasito de ron • 3 claras de huevo • 4 cuch. de azúcar.

ELABORACIÓN

Pon los bizcochos troceados a remojo con el ron.

Pela los plátanos y córtalos en rodajas.

Coloca en unos moldes individuales, de forma alternativa, varias capas de bizcocho y plátano.

Monta a punto de nieve las claras, añadiendo el azúcar cuando estén casi montadas y cubre con ellas los moldes. Por último, mételos al horno, calentado anteriormente y gratínalos durante 1 minuto aproximadamente, hasta que estén dorados.

MENÚ 23

Alubias con botillo

Pescadilla al vapor con pisto

Tarta de kiwi

INGREDIENTES (6 p.): • 500 g de alubias rojas • 1 botillo • unas verduras: cebollas, tomates, zanahorias, pimientos verdes • berza cocida con patatas • aceite de oliva • agua y sal.

ELABORACIÓN

En una cazuela con agua, un chorro de aceite, sal, un pimiento verde troceado y un tomate entero, pon a cocer las alubias que habrás puesto a remojo en la víspera. Déjalo hacer a fuego suave durante hora y cuarto.

En otra cazuela, cuece el botillo, cubierto de agua, con una zanahoria troceada, dos cebollas partidas por la mitad y un tomate. Echa una pizca de sal y deja cocer durante hora y media.

Sirve las alubias en una legumbrera. Acompáñalas con el botillo, presentado en una fuente, abierto por la mitad y con la berza con patatas.

INGREDIENTES (4 p.): • 1 pescadilla de 1,5 kg (aprox.) • 1 puerro • 1 cebolla • sal y unos granos de pimienta • agua. **PARA EL PISTO:** • 1 cebolla • 1 pimiento morrón • 1 pimiento verde • 2 calabacines • 2 tomates • 3 dientes de ajos • aceite y sal.

ELABORACIÓN

Limpia, pela y trocea la verdura del pisto. Ponla a pochar en una cazuela con aceite a fuego no muy fuerte.

Por otra parte, limpia la pescadilla y córtala en tajadas. Sazona y cuécelas en la vaporera con agua, puerro, cebolla y unos granos de pimienta. En 5 minutos estará lista.

Cuando el pisto esté bien pochado, pon a punto de sal y sírvelo en el plato con la pescadilla encima.

TIEMPO DE ELABORACIÓN: 25-30 MINUTOS

INGREDIENTES (4-6 p.): • 4 o 5 kiwis • 200 g de crema pastelera • 200 g de pasta quebrada • 100 g de almendra tostada y fileteada • unas cucharadas de miel.

ELABORACIÓN

Hornea una tartaleta de pasta quebrada, bien estirada, hasta que esté crujiente. Después, colócala en una bandeja sobre una blonda.
Extiende la crema pastelera sobre la pasta y coloca encima los kiwis pelados y cortados en rodajas. Espolvorea con la almendra fileteada y por último, baña la tarta con la miel templada.

TIEMPO DE ELABORACIÓN: 25-30 MINUTOS

MENÚ 24

Primer plato

Revuelto de patatas con mollejas y salsa de berros

Segundo plato

Carrilleras con salsa de choriceros

Postre

Melocotones rellenos

INGREDIENTES (4 p.): • 1 kg de patatas • 4 huevos • 6 mollejas de pato confitadas • 1 cebolleta • 2 pimientos verdes • 3 dientes de ajo • aceite de oliva • perejil picado. **PARA LA SALSA DE BERROS:** • 1 manojo de berros • $^1/_2$ l de nata líquida • $^1/_2$ l de caldo de carne • sal y pimienta.

ELABORACIÓN

En una cazuela, pon a reducir a fuego lento durante 10-15 minutos, el caldo, la nata y los berros bien limpios y picados. Salpimenta.

En una sartén con aceite, fríe las patatas peladas y troceadas junto con los pimientos, la cebolleta y el ajo, todo picado. Cocínalo unos 10 minutos, retira el aceite y casca encima los huevos. Mezcla todo bien, sazona y añade perejil.

Sirve el revuelto cuando esté cuajado junto con las mollejas troceadas. Acompaña con la salsa de berros.

TIEMPO DE ELABORACIÓN: 25-30 MINUTOS

INGREDIENTES (4 p.): • 3 carrilleras de ternera • 1 cebolla roja • 2 cebolletas • 1 pimiento verde • 1 tomate • 1 puerro • 3 cuch. de carne de pimiento choricero • harina y huevo batido • 2 dientes de ajo • aceite y sal. **PARA COCER LAS CARRILLERAS:** 1 cebolla • 1 puerro • 1 zanahoria • 1 cabeza de ajo • perejil • agua • sal.

ELABORACIÓN

Cuece las carrilleras en agua con sus verduras y una pizca de sal. Una vez bien cocidas, resérvalas y guarda también el caldo.

Aparte, pica la cebolla, las cebolletas, el pimiento, el tomate y el puerro y ponlo todo a pochar con aceite y sal. Cuando esta verdura esté doradita, añade 2 cucharadas de harina, rehoga y a continuación, agrega la carne del pimiento choricero. Moja con un poco de caldo de las carrilleras, ponlo a punto de sal y déjalo reducir unos minutos a fuego lento.

Corta las carrilleras en lonchas, rebózalas en harina y huevo y fríe en aceite, junto con 2 dientes de ajo enteros.

Sirve las carrilleras sobre la salsa de choriceros. Puedes acompañar este plato con huevo frito.

TIEMPO DE ELABORACIÓN: 2-2$^1/_4$ HORAS

INGREDIENTES (4-5 p.): • 8-10 mitades de melocotón en almíbar • 200 g de queso de untar • 1 copita de licor de melocotón • 3 cuch. de azúcar • 4 o 5 cuch. de almíbar de melocotón • 100 g de grosellas • unas hojas de menta • canela en polvo.

ELABORACIÓN

Con ayuda de una batidora, bate el queso con el azúcar, el almíbar y el licor hasta que quede una mezcla esponjosa.

Rellena los melocotones con ayuda de una cuchara y coloca las mitades en una fuente. Pon encima de cada una unos granos de grosella y espolvorea con la canela en polvo. Por último, adorna con unas hojas de menta.

TIEMPO DE ELABORACIÓN: 15-20 MINUTOS

MENÚ 25

Primer plato

Odemaris

Segundo plato

Carpaccio de
ternera con
queso frito

Postre

Profiteroles
con caramelo
y chocolate

INGREDIENTES (4 p.): • 500 g de patatas • 5 zanahorias • 2 puerros • 200 g de espinacas • 4 dientes de ajo • 150 g de bacalao desalado • 1 cuch. de pimentón dulce o picante • un puñado de almejas • 8 colas de langostinos • hierbas aromáticas: laurel, orégano... • perejil picado • 1 huevo cocido • aceite de oliva • agua y sal.

ELABORACIÓN

Limpia las verduras y las hortalizas.
En una tartera o en una cazuela de barro, echa un buen chorro de aceite junto con los ajos enteros y pelados. Cuando comiencen a dorarse, agrega las zanahorias cortadas en rodajas finas. Rehoga durante unos minutos y a continuación, añade el puerro, también cortado en rodajas y deja que se rehogue. Cuando esté todo bien pochado, incorpora las patatas peladas y troceadas, las hojas de espinacas, las hierbas aromáticas y el pimentón, rehoga bien y cubre con agua. Deja que cueza durante 10-12 minutos (añade más agua si el guiso lo pide). Transcurrido este tiempo, incorpora el bacalao desmigado, las almejas limpias y los langostinos pelados. Cuando se abran las almejas, agrega el huevo muy picado y espolvorea con perejil. Pon a punto de sal y sirve.

TIEMPO DE ELABORACIÓN: 25-30 MINUTOS

INGREDIENTES (4 p.): • 4 filetes de ternera muy finos • 3 limones • 2 cebolletas • 300 g de queso manchego • pan rallado • aceite de oliva • un chorro de vinagre • sal y pimienta negra.

ELABORACIÓN

Aplasta bien los filetes (muy finos) con ayuda de un mazo o similar.

En una fuente, echa sal y pimienta y coloca los filetes. Salpiméntalos y cúbrelos con la mezcla del zumo de limón, aceite de oliva, un chorro de vinagre y sal. Mételos a la nevera durante 2 horas.

Corta el queso en tacos, pásalos por pan rallado y fríelos en una sartén con aceite. Aparte, fríe la cebolla cortada en juliana.

Sirve el carpaccio con el jugo de la maceración y decorado con el queso frito y la cebolla

INGREDIENTES (6-8 p.): • $^1/_4$ de l de agua • 125 g de harina • 100 g de mantequilla • una pizca de azúcar • una pizca de sal • 3 o 4 huevos • crema pastelera •
chocolate fundido. **PARA EL CARAMELO:** • agua • azúcar • zumo de limón.

ELABORACIÓN

Haz la masa deshaciendo la mantequilla en el agua caliente, a continuación añade
la harina, una pizca de sal y otra de azúcar.

Retíralo del fuego y empieza a incorporar los huevos (que te admita la masa), mez-
clándolos uno a uno y ayudándote con una varilla. Deja reposar la masa unos 10
o 15 minutos.

Sobre una fuente de horno previamente untada con mantequilla coloca pequeños
montones de la masa, con la ayuda de una manga pastelera. Hornéalo durante
unos 20 minutos a 160 grados aproximadamente.

Saca del horno los profiteroles, hazles un agujerito y rellénalos con nata o cualquier otro tipo de crema.

Para hacer el caramelo, calienta un poco de agua con azúcar y unas gotas de zumo
de limón hasta que se dore.

Baña la mitad de los profiteroles con caramelo y el resto con chocolate fundido.

TIEMPO DE ELABORACIÓN: 55-60 MINUTOS

Invierno

MENÚ 1

Primer plato

Alcachofas en vinagreta

Segundo plato

Cordero relleno al horno

Postre

Plátanos paraíso

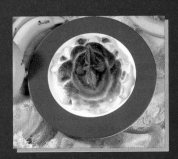

INGREDIENTES (4 p.): • 16 alcachofas • ¹/₂ limón • agua y sal. **PARA LA VINA-GRETA:** • un trozo de cebolleta • un trozo de pimiento morrón • un trozo de pimiento verde • 8 cuch. de aceite • 2 cuch. de vinagre • sal • perejil picado.

ELABORACIÓN

Limpia las alcachofas, quitando las hojas exteriores y pasándolas con limón después. Cuécelas en agua con sal durante 25 minutos. A continuación, escúrrelas, pártelas en cuartos y colócalos en una fuente.

Prepara una vinagreta picando sus ingredientes y echándolos en un bol. Aliña con sal, aceite y vinagre y espolvorea con perejil.

Por último, adereza con ella las alcachofas y sirve.

INGREDIENTES (4 p.): • 1,5 kg de cordero (pierna o paletilla) • $^1/_2$ cebolla • $^1/_4$ de pimiento rojo • 8 judías verdes • 4 dientes de ajo • 100 g de salchichas • 1 o 2 vasos de caldo • aceite y vinagre • perejil picado • sal y pimienta. **PARA ACOMPAÑAR:** 2 patatas • $^1/_2$ cebolla • un trozo de pimiento rojo • 1 diente de ajo • aceite y sal.

ELABORACIÓN

Deshuesa la pierna de cordero, salpiméntala por dentro y por fuera.

Pica muy fino las verduras y ponlas a rehogar en una sartén con aceite. Sazona y déjalo pochar bien. Rellena con estas verduras y con unas salchichas de bocado la pierna de cordero. Átala con una cuerda de liz.

Coloca la pierna en una placa de horno, vierte sobre ella un chorro de aceite, otro de vinagre, el caldo y 4 dientes de ajo enteros con piel. Hornea a 180-200 grados durante 50 minutos aproximadamente (si es necesario, añade más caldo).

A continuación, pon a reducir el jugo de la placa a fuego fuerte (si es necesario, lígalo con fécula o harina de maíz). Mientras, retira la cuerda y sirve la pierna de cordero en rodajas.

Acompaña con unas patatas fritas en rodajas con cebolla, pimiento rojo y 1 diente de ajo. Salsea, espolvorea con perejil y decora con los ajos horneados.

TIEMPO DE ELABORACIÓN: 60-70 MINUTOS

INGREDIENTES (4 p.): • 2 plátanos maduros • 4 o 5 frambuesas • 3 cuch. de azúcar • 2 huevos • el zumo de 1 limón • canela en polvo.

ELABORACIÓN

Bate las claras a punto de nieve. Cuando estén montadas, añade el azúcar poco a poco batiendo. Agrega después las yemas y sigue mezclando con una varilla hasta obtener una crema.

En un plato o fuente resistente al horno, coloca una capa de plátanos en lonchas, espolvorea con canela en polvo y añade unas frambuesas. Vierte el zumo de limón y con ayuda de una cuchara cubre con la crema anterior.

Gratina 1-2 minutos hasta que se dore y sirve inmediatamente.

TIEMPO DE ELABORACIÓN: 15 MINUTOS

MENÚ 2

Primer plato

Menestra de verduras al vapor

Segundo plato

Canelones de marisco al pimentón

Postre

Peras Patagonia

INGREDIENTES (4 p.): • 350 g de vainas • 2 zanahorias • 200 g de brócoli • 2 patatas • 50 g de espinacas • 200 g de coliflor • 12 coles de bruselas • 3 dientes de ajo • $1/2$ l de caldo de verduras • 3 cucharaditas de harina • 1 hoja de laurel y unos granos de pimienta • agua y sal • aceite de oliva.

ELABORACIÓN

Limpia, trocea y cuece en una vaporera con agua, sal, unos granos de pimienta y el laurel, todas las verduras (excepto las espinacas), sacando las verduras que se vayan haciendo.

En una tartera con 4 cucharadas de aceite, rehoga los ajos pelados y fileteados. A continuación, agrega las espinacas, limpias y en juliana. Añade la harina, vuelve a rehogar y vierte poco a poco el caldo de verduras. Incorpora a esta salsa todas las verduras cocidas al vapor y déjalo hacer todo junto durante 5 minutos a fuego lento. Sirve.

INGREDIENTES (4 p.): • 12 canelones • 1 calamar hermoso • 6 langostinos • 12 mejillones cocidos • 1 cebolla • 1 tomate • pimentón al gusto • perejil picado • aceite, sal y agua. **PARA LA SALSA BECHAMEL:** • un trozo de mantequilla • un chorro de aceite • 3 cucharaditas de harina • 1 vaso de leche • sal.

ELABORACIÓN

Cuece la pasta en abundante agua hirviendo con sal, escurre y reserva.

Prepara una bechamel: calienta el aceite con la mantequilla, añade la harina y rehoga. Vete añadiendo la leche poco a poco y sin parar de remover. Pon a punto de sal. Deja reducir unos minutos a fuego lento a la vez que remueves.

En una sartén con aceite, saltea la cebolla y el tomate bien picados, con una pizca de sal. Cuando esté bien pochado, añade los calamares (bien limpios), los langostinos pelados y la carne de los mejillones, todo bien picado. Vuelve a sazonar y espolvorea con perejil. Saltea 2 minutos y mézclalo con la bechamel (como 2-3 cucharadas). Rellena con este preparado los canelones.

Por último, cúbrelos con el resto de la bechamel, espolvorea con pimentón y sirve.

TIEMPO DE ELABORACIÓN: 25-30 MINUTOS

INGREDIENTES (6 p.): • 6 peras • 1 palito de canela • 8 cuch. de azúcar • agua.
PARA LA CREMA: • $^1/_4$ de l de leche • 6 cuch. de azúcar • 2 cuch. de almendras tostadas y molidas • 3 yemas de huevo. **PARA DECORAR:** • unas hojas de menta, grosellas y frambuesas.

ELABORACIÓN

Pela las peras y cuécelas cubiertas con agua, canela y azúcar al gusto. Deja enfriar y reserva el jugo también.

Echa el azúcar en un bol y mójala con leche, calienta el resto de la leche en un cazo. Agrega las yemas y las almendras al bol, mezcla y vierte sobre la leche caliente. Calienta hasta que espese removiendo con una varilla de alambre. Si es necesario liga con una cucharada de harina de maíz diluida en un poco de leche.

Corta las peras por la mitad y ábrelas en abanico.

Sírvelas en un plato o fuente. Añade la crema.

También puedes servir las peras enteras en copas con la crema de almendras.

Decora con hojas de menta, grosellas y frambuesas.

Puedes servir este postre templado o frío acompañado con el almíbar de cocción de las peras.

TIEMPO DE ELABORACIÓN: 30-40 MINUTOS

MENÚ 3

Primer plato

Estofado de costilla con patatas

Segundo plato

Callos y morros en salsa

Postre

Soufflé con plátanos

INGREDIENTES (4 p.): • 1 kg de costillar de cerdo • 1 kg de patatas • 2 zanahorias • 1 cebolla • 1 pimiento verde • 1 cuch. de pimentón • 1 hoja de laurel • 2 dientes de ajo • perejil picado • aceite, agua y sal.

ELABORACIÓN

Corta en trozos el costillar y ponlo a cocer en una olla a presión con agua, sal, 1 hoja de laurel y 2 zanahorias bien limpias, durante 10 minutos.

En una cazuela con aceite, pon a pochar los ajos, la cebolla y el pimiento verde todo picado. Una vez que esté bien pochado, añade una cucharada de pimentón, rehoga y añade las patatas peladas y troceadas. Sigue rehogando e incorpora la costilla. Cubre con su caldo y añade también su hoja de laurel. Guísalo durante 20 minutos aproximadamente, a fuego medio. Sirve espolvoreado con perejil picado.

INGREDIENTES (4 p.): • 1 morro de ternera pequeño (limpio) • 500 g de callos de ternera (limpios) • ¹/₂ pata de ternera (limpia) • harina y huevo batido • aceite de oliva. **PARA COCER:** • un trozo de pimiento morrón • 1 cebolla con 5 clavos (especia) • 1 pimiento verde • 2 zanahorias • 1 pimiento choricero • 1 hoja de laurel • agua y sal. **PARA LA SALSA:** • 2 cebollas • 2 dientes de ajo • 2 cucharaditas de pimentón • 2 cucharaditas de harina • aceite y sal.

ELABORACIÓN

Pon a cocer los callos y los morros troceados junto con la pata, todo bien limpio, en abundante agua con el pimiento choricero sin pepitas, las verduras, una pizca de sal y laurel, de 1,30 a 2 horas. Una vez cocidos, escurre y reserva el caldo y las verduras. Trocea los morros para rebozarlos, pasándolos primero por harina y luego por huevo batido. Fríelos en una sartén con aceite.

En una tartera con aceite, pocha la cebolla muy picada con los ajos. Agrega la harina, rehoga y añade después el pimentón, volviendo a rehogar.

Vierte un vaso del caldo y las verduras de la cocción que habrás pasado por un pasapuré. Mezcla bien y agrega los callos y los morros ya rebozados. Pon a punto de sal, deja cocer unos minutos y sirve.

TIEMPO DE ELABORACIÓN: 2¹/₂ HORAS

INGREDIENTES (4 p.): • 3 yemas y 4 claras de huevo • $^1/_4$ de l de leche • 125 g de azúcar • ralladura de la corteza de 1 naranja • 1 plátano maduro • 25 g de harina de maíz (diluida en leche fría) • mantequilla y harina para untar el molde.

ELABORACIÓN

Calienta la leche y añádele el plátano pelado y aplastado con un tenedor. Mezcla bien con una varilla mientras le añades el azúcar. Agrega la harina de maíz disuelta en leche fría. Sigue mezclando al calor y espera unos minutos hasta que espese. Retira del fuego y echa la ralladura de naranja y las yemas. Una vez mezclado, incorpora a las claras bien montadas. Sigue mezclando y vierte en un molde untado con mantequilla y harina, llenándolo en sus $^3/_4$ partes.
Hornea a 175 grados (horno precalentado) durante 20 minutos.
Servir y consumir inmediatamente.

TIEMPO DE ELABORACIÓN: 40-45 MINUTOS

MENÚ 4

Primer plato

Coliflor con piñones gratinada

Segundo plato

Cochifrito de cordero

Postre

Buñuelos de fresas

INGREDIENTES (4 p.): • 1 kg de coliflor • 2 zanahorias • 2 patatas • 4 dientes de ajo • 50 g de piñones • 150 g de bacon • 2 vasos de caldo de verduras o ave • 2 cuch. de harina • perejil picado y pimienta • aceite, agua y sal.

ELABORACIÓN

En una cazuela con agua, sal y un chorro de aceite, pon a cocer las zanahorias y las patatas peladas y troceadas. Cuando lleven unos minutos, agrega la coliflor cortada en ramilletes. Deja cocer unos 20 minutos.

Coloca la verdura bien escurrida en una fuente resistente al horno, la coliflor en el centro y las patatas y las zanahorias en los bordes.

Prepara una velouté rehogando en el aceite los ajos y el bacon picados y los piñones (la mitad) y cuando comience a dorarse rehoga la harina y moja con el caldo, poco a poco y sin parar de remover. Salpimenta y espolvorea con perejil.

Cubre la verdura con esta velouté y gratina durante 3 minutos. Sirve espolvoreado con el resto de los piñones.

TIEMPO DE ELABORACIÓN: 30 MINUTOS

INGREDIENTES (4 p.): • 1,5 kg de cordero • 1 cebolla blanca • 1 cebolla roja • 2 dientes de ajo • 1 pimiento verde • $^1/_2$ guindilla seca picante • 1 cuch. de pimentón • 2 cucharaditas de harina • aceite y agua • sal y pimienta • perejil picado.

ELABORACIÓN

En una cazuela con un poco de aceite, pon a pochar la verdura limpia y picada. Sazona y corta en trozos pequeños el cordero. Salpimenta y rehógalo. Añade el pimentón y la guindilla picante. Agrega la harina, rehoga todo y cubre con agua. En un mortero, maja los ajos con perejil y con un poco de agua. Échalo sobre el guiso. Y déjalo cocer hasta que esté tierno, 40 minutos aproximadamente.
Para finalizar, espolvorea el perejil y ya tienes el plato listo para servir en la mesa.

TIEMPO DE ELABORACIÓN: 40-50 MINUTOS

BUÑUELOS DE FRESAS

INGREDIENTES (6 p.): • 24 fresas (aprox.) • aceite para freír • azúcar con canela • natillas para acompañar. **PARA LA MASA:** • 125 g de harina • $^1/_2$ sobre de levadura • una pizca de sal • $^1/_2$ vaso de leche (aprox.) • 1 huevo • 1 cuch. de aceite de oliva • 1 cuch. de licor de frutas.

ELABORACIÓN

Para preparar la masa, mezcla bien la harina, la levadura, una yema, el aceite, el licor y la sal. Agrega, a continuación, la leche poco a poco y mezcla hasta obtener una pasta sin grumos. Con ayuda de una varilla, bate todo muy bien. Deja reposar tapado y a temperatura ambiente unas 3 horas. Agrega la clara montada y sigue mezclando con una varilla. Introduce las fresas (sin rabito pero enteras) para rebozarlas.

Fríe los buñuelos de fresa en abundante aceite caliente. Cuando estén doraditos, sácalos bien escurridos de aceite.

Por último, rebózalos en azúcar con canela.

Para servir, acompaña los buñuelos con unas natillas.

TIEMPO DE ELABORACIÓN: 20 MINUTOS

MENÚ 5

Primer plato

Hojaldre de puerros con jamón

Segundo plato

Culata de contra rellena

Postre

Rollitos de higos y pasas

INGREDIENTES (4 p.): • 8 cuadraditos de hojaldre • 8 puerros finos cocidos • 8 lonchas de jamón serrano • 200 g de setas de cultivo o champiñones • 1 diente de ajo • huevo batido y sal. PARA LA CREMA DE VERDURAS: • 1 patata hermosa • 1 kg de espinacas • agua y sal.

ELABORACIÓN

Prepara una crema de verduras cociendo la patata y las espinacas en agua con sal. Pásala por un pasapuré.

En una sartén con un poco de aceite, saltea las setas limpias y troceadas junto con 1 diente de ajo en láminas y una pizca de sal.

Unta el hojaldre con huevo, coloca encima una loncha de jamón, 2 trozos de puerro, añade un poco de la fritada de setas y enróllalo todo. Corta los extremos para igualarlos, reservando las tiras.

Coloca los rollitos en una placa de horno y unta con huevo, decorando con unas tiras de hojaldre. Hornea a 160-170 grados durante 20 minutos.

Sirve los rollitos en unos platos con el fondo cubierto con la crema de verduras.

TIEMPO DE ELABORACIÓN: 30-35 MINUTOS

INGREDIENTES (4 p.): • 800 g de culata de contra (abierto en filete) • 100 g de zanahorias cocidas • 100 g de espinacas cocidas • 100 g de judías verdes cocidas • 100 g de jamón serrano • 1 cuch. de paté • 1 puerro • 1 pimiento verde • 2 cebollas rojas • 1 vaso de caldo • 1 vaso de vino blanco • aceite, sal y pimienta.

ELABORACIÓN

Salpimenta la carne, úntala con el paté y cúbrela con las lonchas de jamón. Coloca encima las verduras cocidas.

Enrolla la carne y tras conseguir un rollo compacto, átalo con una cuerda de liz y sazona. Dora bien la carne en una cazuela baja con un poco de aceite. Añádele las cebollas, el pimiento y el puerro todo bien picado. Sazona y riega con el caldo y el vino blanco. Hornea a 190 grados durante una hora aproximadamente. Gira la pieza de carne cada 5-10 minutos y ten en cuenta que no debe quedar seca. A continuación, deja templar y retira la cuerda.

Corta la carne rellena en rodajas y sírvelas en una fuente con el fondo cubierto con la salsa que habrás pasado por un pasapuré y un chino.

TIEMPO DE ELABORACIÓN: 60-70 MINUTOS

INGREDIENTES (6 p.): • 6 láminas de pasta brick • 100 g de mantequilla • 100 g de pasas • 100 g de higos secos • 50 g de almendras • 2 cuch. de miel • unas grosellas y menta para decorar. **PARA LA SALSA:** • 10 g de azúcar • 120 ml de agua • 2 cuch. de miel • 1 cuch. de zumo de limón • 20 ml de agua de azahar.

ELABORACIÓN

Coloca las láminas de pasta brick sobre la superficie de trabajo y úntalas con la mantequilla a punto pomada. Repliega los bordes de cada círculo hasta obtener un cuadrado. Vuelve a untar con mantequilla. Pliega en dos para formar un rectángulo.

Mezcla las pasas y los higos troceados con la almendra molida y la miel. Coloca un poco de esta mezcla sobre cada placa de pasta y enróllala. Coloca los rollitos en una fuente. Introduce en el horno precalentado a 200 grados y déjalo hacer durante 10 minutos aproximadamente hasta que la pasta se dore.

Para preparar la salsa, haz un caramelo ligero hirviendo el agua con el azúcar. Retira del fuego y agrega la miel, el zumo de limón y el agua de azahar. Por último, déjala enfriar.

Sirve los rollitos de higos y pasas con la salsa alrededor o encima de ellos. Decora con grosellas y hojas de menta.

TIEMPO DE ELABORACIÓN: 25-30 MINUTOS

MENÚ 6

Primer plato

Piquillos sorpresa

Segundo plato

Cordero a la provenzal

Postre

Timbal de peras y manzanas

INGREDIENTES (4 p.): • 16 pimientos del piquillo (asados y pelados) • 8 langostinos • 300 g de pescadilla • 2 dientes de ajo • 1 puerro • harina • $^1/_2$ vaso de caldo de pescado • perejil picado, sal y pimienta • aceite de oliva. **PARA LA SALSA DE PIMIENTOS VERDES:** • 2 cebollas • 4 pimientos verdes • 1 vaso de caldo de pescado • aceite de oliva.

ELABORACIÓN

El caldo lo puedes preparar con las cabezas de langostinos y las pieles y espinas de pescado.

En una cazuela con aceite, saltea con el ajo y el puerro, los langostinos y la pescadilla limpios, troceados y salpimentados. Añade el perejil picado y la harina. Rehoga y moja con 1 vaso de caldo. Cocínalo unos minutos y deja templar.

Para preparar una salsa de pimientos verdes, pocha en una cazuela con aceite, las cebollas y los pimientos verdes, todo picado. Sazona y déjalo hacer a fuego medio. Vierte un vaso de caldo de pescado y espera unos minutos para que reduzca. Tritura la salsa y pásala por un chino.

Por último, rellena los piquillos con la mezcla de pescadilla y langostinos y colócalos dentro de la salsa. Caliéntalo todo 5 minutos a fuego lento y sirve.

TIEMPO DE ELABORACIÓN: 25-30 MINUTOS

INGREDIENTES (4 p.): • 800 g de cordero (en trozos pequeños) • 3 patatas • 1 cebolleta • 1 pimiento verde • 3 dientes de ajo • $^1/_2$ copa de vino de jerez • una pizca de tomillo picado • aceite de oliva y sal. **PARA LA PROVENZAL:** • 3 cuch. de pan rallado • 1 diente de ajo picado fino • 1 cucharadita de perejil picado • 1 cuch. de aceite (opcional).

ELABORACIÓN

Pela y corta las patatas en rodajas no muy gruesas.

En una sartén con aceite, rehógalas con el pimiento y la cebolleta picados y 2 ajos con piel. Sazona y después, colócalas desgrasadas en una fuente.

Sazona el cordero y espolvorea con tomillo. Saltéalo a fuego fuerte unos minutos. Vierte el jerez y mezcla bien. Colócalo sobre las patatas. Mezcla bien los ingredientes de la provenzal y espolvorea por encima del cordero. Gratínalo 2 minutos. Sirve.

TIEMPO DE ELABORACIÓN: 25-30 MINUTOS

INGREDIENTES (4-6 p.): • 3 placas de bizcocho • 4 peras • 5-6 manzanas • 6 cuch. de azúcar • unas ciruelas pasas • 1 palito de canela • un chorrito de licor • azúcar glas • unas frambuesas • unas hojas de menta • agua.

ELABORACIÓN

Pela las peras y las manzanas troceando estas últimas.

En una cazuela, cuece las peras con unos 2 dedos de agua, la mitad del azúcar y la canela, durante 15 minutos a fuego lento.

Aparte, en otra cazuela cuece las manzanas con otros 2 dedos de agua, el resto del azúcar y las pasas de ciruela también a fuego lento durante 10 minutos.

Corta 2 de las placas de bizcocho retirando un círculo central suficiente como para rellenarlos. A continuación, colócalos sobre el bizcocho restante que hará de base. Emborracha ligeramente los bizcochos con el licor y rellena el hueco con las compotas de pera y manzana.

Impregna este timbal con el almíbar de su cocción.

Por último, decora con unas frambuesas, unas hojas de menta y espolvoréalo con azúcar glas.

TIEMPO DE ELABORACIÓN: 35-40 MINUTOS

MENÚ 7

Primer plato

Coles de bruselas con pasta

Segundo plato

Lomo de cerdo con salsa española

Postre

Gelatina de naranja

INGREDIENTES (4 p.): • 1 kg de coles de bruselas • 150 g de bacon adobado • 200 g de pasta (cintas de nido al huevo) • queso rallado • aceite de oliva, sal y agua.
PARA LA SALSA BECHAMEL: • un trozo de mantequilla • 3 cucharaditas de harina • $^1/_2$ vaso de leche • sal y perejil picado.

ELABORACIÓN

Cuece las coles en agua con sal durante 12-15 minutos. Escurre y reserva.
Aparte, cuece también la pasta en abundante agua hirviendo con sal y un chorro de aceite. Escurre y reserva.
Prepara una bechamel rehogando la harina en la mantequilla derretida y vertiendo poco a poco la leche. Pon a punto de sal y espolvorea con perejil picado.
En una sartén con aceite, dora la tocineta troceada.
A continuación, añade las coles y la pasta y rehoga.
Coloca la mezcla de coles con pasta en un recipiente resistente al horno y cubre con la bechamel. Espolvorea con queso rallado y gratina hasta que se dore. Sirve.

INGREDIENTES (4 p.): • 600 g de lomo de cerdo • harina con un poco de levadura • huevo batido • 2 dientes de ajo • 1 pimiento verde • 4 huesos de cañada • sal
y pimienta • aceite y agua. **PARA LA SALSA:** • 1 cebolleta • 4 zanahorias • 3 champiñones • 1 pimiento verde • 2 tomates • 2 puerros • 2 dientes de ajo • 1 vaso de agua
o caldo • aceite, sal y pimienta • 1 hoja de laurel.

ELABORACIÓN

En una cazuela, prepara una salsa española rehogando en aceite las verduras picadas. Salpimenta. Una vez pochado, moja con el agua, deja reducir unos minutos y
pásala por un pasapuré. (Si queda muy ligera, lígala.)
Cuece el tuétano de los huesos de cañada.
Corta el lomo en filetes, salpimenta y fríelos en aceite rebozados en harina con levadura y huevo, junto con los ajos y el pimiento en aros.
Coloca la salsa en el fondo de una fuente o plato y sirve encima el lomo rebozado
con los ajitos y el pimiento fritos.
Por último, decora con el tuétano cocido con una pizca de sal.

TIEMPO DE ELABORACIÓN: 30-35 MINUTOS

INGREDIENTES (4-6 p.): • $^1/_2$ sobre de gelatina de naranja • 250 ml de agua • el zumo de 2 naranjas • el zumo de $^1/_2$ limón • $^1/_2$ l de nata • 6 cuch. de azúcar • 50 g de chocolate de cobertura • unas láminas de chocolate blanco (opcional) • unas hojas de menta y corteza de naranja.

ELABORACIÓN

Prepara la gelatina disolviéndola con la mitad del agua hirviendo. Añade el resto del agua fría y remueve hasta que esté bien disuelta. A continuación, mezcla con el zumo de limón y de naranja. Agrega la nata, montada previamente con el azúcar y mezcla todo bien con una varilla. Introduce en unos moldes pequeños y enfríalo en el frigorífico durante unas 5 horas para que cuaje.

Desmolda las gelatinas de naranja sobre placas de chocolate blanco y decóralas con chocolate fundido, hojas de menta y rajitas de corteza de naranja.

TIEMPO DE ELABORACIÓN: 20-25 MINUTOS

MENÚ 8

Primer plato

Alubias
con cordero

Segundo plato

Filetes rellenos
de pimientos

Postre

Mousse de fresón

INGREDIENTES (4 p.): • 500 g de alubias • 1 puerro • 2 zanahorias • 1 pierna de cordero (deshuesada) • 2 chorizos rojos • 1 cebolla roja • unos cominos • perejil picado • aceite de oliva, agua y sal. **PARA ACOMPAÑAR:** • guindillas en vinagre, aceite de oliva y sal gorda.

ELABORACIÓN

Pon las alubias, las zanahorias y el puerro finamente picado, en una cazuela con agua fría.

Ata la pierna con una cuerda de liz, sazona e incorpórala a la cazuela con las alubias. Echa un chorro de aceite y unos cominos. Pon la tapa y déjalo cocer 2 horas aproximadamente.

Cuando esté hecho el cordero, retíralo y sigue cocinando las alubias.

Para preparar un refrito, en una sartén con aceite, dora la cebolla picada. Añade el chorizo troceado y rehoga.

A continuación, espolvorea con perejil y añádeselo a las alubias. Mezcla bien y sirve con la pierna de cordero en rodajas.

Acompaña con las guindillas aliñadas con sal gorda y aceite de oliva.

TIEMPO DE ELABORACIÓN: 2-2$^1/_4$ HORAS

INGREDIENTES (4 p.): • 4 filetes finos de ternera • 1 pimiento asado y pelado • harina, huevo batido y pan rallado • 200 g de pasta • 100 g de jamón serrano • 2 dientes de ajo • aceite y agua • perejil picado, sal y pimienta • 1 limón.

ELABORACIÓN

Cuece la pasta en agua hirviendo con sal y un chorro de aceite. Escurre, refréscala con agua y resérvala bien escurrida.

Salpimenta los filetes y rellénalos con unas tiras de pimiento asado, envolviéndolos sobre sí mismos. (Pínchalos con un palillo o átalos con cuerda de liz para que no se suelten al freír).

Pásalos por harina, huevo batido y pan rallado.

Fríe en abundante aceite caliente y acompáñalos con la pasta salteada con unos taquitos de jamón y 2 dientes de ajo pelados y enteros. Puedes decorar el plato con trozos de limón y perejil.

INGREDIENTES (6 p.): • $^1/_4$ de kg de fresones • 1 plátano • 150 g de azúcar • 1 l de nata montada • 4 claras de huevo • unas hojas de menta.

ELABORACIÓN

Lava los fresones y retírales el rabito.

En un bol, tritura los fresones con una batidora. Añade las claras montadas con el azúcar, mezcla bien, agrega la nata montada y sigue mezclando.

Sírvelo en copas y añade unos trocitos de plátano. Decora con unas hojas de menta.

MENÚ 9

Primer plato

Callos con garbanzos

Segundo plato

Pastel de puerros y langostinos

Postre

Tarta de fresas y nueces

CALLOS CON GARBANZOS

INGREDIENTES (4 p.): • $^1/_2$ kg de callos cocidos • $^1/_2$ kg de garbanzos cocidos • 1 cebolla • 1 pimiento verde • 2 dientes de ajo • 2 chorizos pequeños • 100 g de jamón serrano • 1 cuch. de pimentón picante • 1 cuch. de harina • 1 cazo de salsa de tomate • perejil picado • 1 vaso de caldo de cocer garbanzos • aceite de oliva y sal.

ELABORACIÓN

Pica los dientes de ajo, el pimiento, la cebolla y ponlos a pochar con aceite y una pizca de sal. A continuación, rehoga el chorizo y el jamón picados. Agrega la harina y el pimentón, rehogando sin que se queme. Vierte la salsa de tomate y seguidamente incorpora los callos y el caldo. Agrega los garbanzos, mezcla bien y deja hacer unos minutos para que se mezclen los sabores. Sirve muy caliente espolvoreado con perejil picado.

TIEMPO DE ELABORACIÓN: 20 MINUTOS

INGREDIENTES (4 p.): • una lámina de hojaldre • 8 puerros cocidos (blanco) • 3 huevos • 1 vaso de nata líquida • 8 langostinos • sal y perejil picado • huevo batido. **Para la salsa de pimientos:** • 1 pimiento morrón • 1 cebolla • aceite y sal.

ELABORACIÓN

Estira el hojaldre, dale forma redonda y pínchalo. Coloca en los bordes, untadas con huevo batido, unas tiras de hojaldre.

Prepara una salsa de pimientos poniendo a pochar la cebolla y el pimiento picados en un cazo con aceite. Sazona y déjalo hacer a fuego suave 20 minutos aproximadamente. Tritúrala y pásala por un chino.

Mezcla los huevos batidos con la nata, poniendo a punto de sal y espolvorea con perejil picado.

Coloca sobre el hojaldre los puerros cocidos y partidos por la mitad y los langostinos, pelados y sazonados. Cubre con la crema y hornea hasta que cuaje, unos 10 o 12 minutos a 170 grados.

Sirve la tarta de puerros y langostinos acompañada con la salsa de pimiento.

TIEMPO DE ELABORACIÓN: 30-40 MINUTOS

INGREDIENTES (6-8 p.): • ¹/₂ kg de fresas • 2 cuch. de mermelada de arándanos • 200 g de pasta quebrada • 2 cuch. de crema pastelera • un puñado de nueces peladas • unas hojas de menta • un poco de harina.

ELABORACIÓN

Estira la pasta quebrada (con un poco de harina).

Colócala sobre una placa de horno (puedes rizar los bordes de la pasta ayudándote de un cuchillo).

Hornea a 175 grados durante 10 minutos. Deja enfriar y extiende la crema pastelera. Coloca sobre ella las fresas en mitades, que habrás horneado previamente durante 1 minuto. Añade las nueces intercalándolas entre las fresas. Dale brillo a la tarta con la mermelada y sirve decorada con menta

TIEMPO DE ELABORACIÓN: 25-30 MINUTOS

MENÚ 10

Primer plato

Pimientos rellenos de bacalao

Segundo plato

Conejo en escabeche

Postre

Caprichos de manzana

INGREDIENTES (4 p.): • 12 pimientos del piquillo (en conserva) • 250 g de bacalao desalado y desmigado • $^1/_2$ cuch. de harina • 1 vaso de leche • 3 dientes de ajo • perejil picado • aceite de oliva y sal. **PARA LA SALSA DE PIMIENTOS VERDES:** • 3 pimientos verdes • 1 cebolleta • $^1/_2$ vaso de agua • aceite de oliva y sal.

ELABORACIÓN

Para preparar la salsa, pica la cebolleta y los pimientos verdes y ponlos a pochar en una cazuela con aceite. Sazona y cuando esté pochado, añade un poco de agua y reduce unos minutos a fuego moderado. Tritura con la batidora y pásalo por el chino.

En otra cazuela con aceite, rehoga los ajos picados. Agrega el bacalao desmigado y sigue rehogando. Añade la harina, rehoga durante 1 minuto y moja con la leche, poco a poco y remueve. Espolvorea con perejil picado y pon a punto de sal. Deja enfriar y rellena con esta masa los pimientos. Colócalos en una placa de horno y úntalos con aceite. Hornea a 150-160 grados durante 5 minutos.

Sirve los pimientos rellenos en una fuente o plato con el fondo cubierto con salsa de pimientos verdes.

TIEMPO DE ELABORACIÓN: 20-25 MINUTOS

INGREDIENTES (4 p.): • 1 conejo de 1,200 kg aprox. • sal gorda • 1 l de aceite de oliva • ¹/₂ l de vinagre de vino • 4 dientes de ajo • 1 cebolla • 1 zanahoria • laurel y tomillo • pimienta negra en grano • 1 puerro. PARA ACOMPAÑAR: • 2 pimientos asados y pelados • 4 dientes de ajo • aceite de oliva, sal y perejil picado.

ELABORACIÓN

Trocea el conejo, bien limpio, en partes hermosas, colócalo en una cazuela y agrégale el resto de los ingredientes: los ajos enteros con piel, la cebolla en aros, el puerro en juliana, la zanahoria en rodajas, tomillo, 3 hojas de laurel y unos granos de pimienta. Añade la sal, el aceite y el vinagre.

Pon a cocer todo tapado con papel de aluminio entre la cazuela y la tapa durante 35-40 minutos.

Sirve el escabeche de conejo (caliente, templado o frío) y acompañado con los pimientos en tiras salteados con aceite, ajo y sal. Sirve.

TIEMPO DE ELABORACIÓN: 60 MINUTOS

INGREDIENTES (6 p.): • 3 manzanas hermosas • 2 puñados de avellanas tostadas y picadas • 100 g de azúcar • 50 g de mantequilla • 1 huevo • 60 g de harina • mantequilla para untar el molde • unas frambuesas y grosellas • natillas para acompañar. **PARA EL CARAMELO:** • 5 cuch. de azúcar • un poco de agua • unas gotas de limón.

ELABORACIÓN

Prepara un caramelo calentando sus ingredientes en un cazo pequeño.

Unta unos moldes con mantequilla derretida, coloca un papel antiadherente y cubre el fondo con el caramelo. Reparte las avellanas y las manzanas peladas y troceadas en dados hasta completar los moldes. Hornea a 175 grados durante 10 minutos.

Mientras, en un bol mezcla la mantequilla a punto pomada con el huevo. Añade el azúcar y la harina y sigue mezclando hasta obtener una masa uniforme.

Una vez horneadas las manzanas, saca del horno y echa por encima la masa de bizcocho. Vuelve a hornear a igual temperatura otros 10 minutos. Desmolda como si fuera un flan.

Sirve estos caprichos de manzana con unas natillas y decorados con unas frambuesas y grosellas.

TIEMPO DE ELABORACIÓN: 25-30 MINUTOS

MENÚ 11

Primer plato

Cocido completo

Segundo plato

Bacalao rebozado en fritada

Postre

Postre de piña y limón

INGREDIENTES (4 p.): • 320 g de garbanzos • 1 puerro • 1 zanahoria • 1 cebolla • 2 chorizos pequeños • 100 g de jamón serrano • 250 g de carrilleras de ternera • 250 g de zancarrón (morcillo) • 150 g de tocino ibérico • 2 huesos de cañada • $^1/_2$ oreja de cerdo • 1 ramito de perejil • agua y sal. PARA EL SALTEADO DE BERZA: • 1 berza cocida • 3 dientes de ajo • aceite de oliva.

ELABORACIÓN

Pon a cocer todos los ingredientes bien limpios en una cazuela con agua caliente. Los garbanzos los habrás tenido a remojo desde la víspera. Sazona y transcurridas 1-2 horas, a fuego suave, retira las carnes y trocéalas. Separa por un lado el caldo y por otro los garbanzos y los demás ingredientes (sin dejarlos muy secos) y añádeles las carnes troceadas. Puedes utilizar el caldo para hacer una sopa.

Para preparar el salteado de berza, pela y pica los ajos y dóralos en una sartén con aceite. A continuación, agrega la berza cocida y saltéala unos minutos.

Sirve los garbanzos con la carne y acompáñalo todo con el salteado de berza.

INGREDIENTES (4 p.): • 1 kg de bacalao desalado (lomos) • 4 dientes de ajo • 1 cebolla • un trozo de blanco de puerro • $1/_2$ pimiento morrón • 1 tomate • 1 pimiento verde • unas guindillas en vinagre • harina y huevo batido • aceite de oliva • sal.

ELABORACIÓN

En una cazuela con un chorro de aceite, prepara la fritada, pochando el blanco del puerro cortado en juliana, los pimientos, el tomate, 2 dientes de ajo y las cebollas, todo bien picadito. Sazona y deja a fuego lento hasta que esté todo bien pochado. Aparte, trocea los lomos de bacalao, rebózalos en harina y una vez que los hayas pasado por huevo batido, fríelos en abundante aceite caliente.

Pon 2 dientes de ajo en el aceite de freír el bacalao para que den sabor. Escurre y sirve los lomos de bacalao junto con la fritada. Acompaña con las guindillas aliñadas con aceite y sal gorda.

TIEMPO DE ELABORACIÓN: 30 MINUTOS

INGREDIENTES (6 p.): • 1 bote de piña en almíbar de 1 kg • $^1/_2$ l de nata • 1 sobre de gelatina de limón • unas hojas de menta y grosellas.

ELABORACIÓN

Separa la piña del almíbar. Tritura la piña con la batidora hasta reducirla a puré. Calienta el almíbar de piña y deshaz la gelatina con el puré de piña. Échalo sobre la nata montada, mezcla bien y vierte en un molde. Mete en la nevera hasta que cuaje para desmoldar.

Sumerge el molde en agua caliente unos segundos y desmolda.

Sirve decorado con unas hojas de menta y grosellas.

TIEMPO DE ELABORACIÓN: 15-20 MINUTOS

MENÚ 12

Primer plato

Cardo con coliflor rebozada

Segundo plato

Congrio con guisantes

Postre

Peras a los dos vinos

INGREDIENTES (4 p.): • 1,5 kg de cardo • 200 g de coliflor cocida • 200 g de tocino fresco • harina y huevo batido • aceite, agua y sal • perejil picado.

ELABORACIÓN

Limpia el cardo de hilos y pieles. Puedes usar agua fría con limón para que quede más blanco. Después, córtalo en trozos (de unos 5 centímetros).
En una cazuela con agua hirviendo y sal, pon a cocer el cardo. Una vez que esté cocido, escurre y reserva también el caldo.
Corta el tocino en trocitos y dóralo en una cazuela con aceite. Agrega una cucharada de harina, rehoga y vierte 1-2 vasos del caldo de cocer los cardos. Sigue rehogando y después incorpora el cardo. Déjalo cocer a fuego suave y mientras, reboza los ramitos de coliflor con harina y huevo batido. Fríelos en aceite bien caliente y agrégaselos al guiso de cardo. Cocínalo 4-5 minutos a fuego lento y sirve espolvoreado con perejil.

TIEMPO DE ELABORACIÓN: 40-45 MINUTOS

INGREDIENTES (4 p.): • 4 rodajas hermosas de congrio • 1 taza de guisantes desgranados (congelados) • 12 mejillones • 1 cebolleta • 3 dientes de ajo • harina • vino blanco • 3 o 4 clavos de olor • perejil picado • aceite de oliva • agua y sal • 1 limón para decorar • 1 vaso de fumet (mejillones).

ELABORACIÓN

En una cazuela con agua y vino blanco, cuece los mejillones hasta que se abran.
Aparte, en una tartera con aceite, pocha la cebolleta y los ajos picados.
Sazona las rodajas de congrio y pásalas por harina. Añádeselas a las verduras pochadas. Moja con un vaso de vino y otro del caldo del pescado.
Agrega los guisantes y los clavos de olor. Cocínalo unos 4 minutos por cada lado.
Añade la carne de los mejillones cocidos, espolvorea con perejil picado y sirve. Decora con limón.

TIEMPO DE ELABORACIÓN: 30-35 MINUTOS

INGREDIENTES (6 p.): • 6 peras hermosas • $^3/_4$ de l de vino blanco • $^1/_2$ l de vino tinto • 10 cuch. de azúcar • 2 palitos de canela • $^3/_4$ de l de agua.

ELABORACIÓN

Pon a hervir el vino blanco con $^3/_4$ de l de agua, 6 cucharadas de azúcar y una rama de canela. Coloca las peras peladas y en posición vertical en la cazuela (el caldo deberá cubrirlas) y cuécelas a fuego lento durante 20 minutos.

Pon a calentar el vino tinto con 4 cucharadas de azúcar y otro palo de canela, a fuego suave durante 20 minutos.

Introduce las peras de pie en la salsa de vino y cuécelas 5-10 minutos.

Sirve las peras frías con la salsa de vino tinto.

TIEMPO DE ELABORACIÓN: 45-50 MINUTOS

MENÚ 13

Primer plato

Patatas con chorizo, jamón y morcilla

Segundo plato

Puerros en hojaldre con vainas

Postre

Tarta de compota de manzana

INGREDIENTES (4 p.): • 1 kg de patatas • 2 cebollas rojas • 1 pimiento verde • 2 hojas de laurel • 8 trozos de chorizo • 8 trozos de morcilla • 150 g de jamón serrano • 1 cuch. de pimentón • un poco de harina • $1^1/_2$ l de agua (o caldo) • aceite y sal.

ELABORACIÓN

En una cazuela con aceite, pocha la cebolla y el pimiento picados con una pizca de sal. Después, añade los trozos de chorizo, el jamón en tacos y sofríelo durante unos minutos. A continuación, agrega el laurel, el pimentón y rehoga. Por último, agrega las patatas, peladas y troceadas y moja con el caldo. Cuécelo durante 20-25 minutos, retirando el laurel a mitad de cocción.

Mientras, en una sartén con aceite, fríe la morcilla en rodajas enharinadas. Finalmente, sirve el guiso de patatas y coloca la morcilla frita por encima.

INGREDIENTES (4 p.): • 16 puerros cocidos • 8 láminas de hojaldre (10 cm x 8 cm aprox.) • 8 lonchas de jamón serrano • $^1/_2$ pimiento morrón • huevo batido • aceite y sal. **PARA LA CREMA DE VAINAS:** • 200 g de vainas • 1 patata • agua y sal.

ELABORACIÓN

Envuelve los puerros cocidos y ya fríos, de dos en dos, con una loncha de jamón y una lámina de hojaldre. Cierra los bordes y colócalos en una placa de horno. Decóralos con unas tiras de hojaldre, píntalos con huevo batido y hornea durante 15-20 minutos a 180 grados.

Prepara una crema de vainas, cociéndolas, una vez limpias y troceadas, en agua junto con una patata pelada y troceada, durante 10 minutos. A continuación, tritura y pasa por el chino. Sazona y extiéndela en el fondo de un plato o fuente, coloca encima los hojaldres de puerros y decora con unos aros de pimiento morrón fritos y sazonados.

INGREDIENTES (6 p.): • 1 lámina de hojaldre • 4 cuch. de compota de manzana • 3 cuch. de crema pastelera • 4 manzanas (tipo reineta) • 150 g de mermelada de albaricoque • zumo de limón (opcional).

ELABORACIÓN

Extiende el hojaldre y cubre con él el fondo y los lados de un molde. Hornea hasta dorar, unos 15-20 minutos a 175 grados. (Para que no suba el hojaldre puedes cubrirlo con garbanzos). Deja enfriar.

Extiende la compota, que habrás aplastado con un tenedor, sobre el hojaldre. Cubre con la crema pastelera y coloca encima las manzanas peladas, descorazonadas y partidas en gajos finos.

Vuelve a hornear a 175 grados durante 15 minutos aproximadamente.

Por último, extiende una capa de mermelada de albaricoque (mézclala con zumo de limón si deseas darle más brillo). Desmolda y sirve.

TIEMPO DE ELABORACIÓN: 35-40 MINUTOS

MENÚ 14

Primer plato

Pavo
con setas

Segundo plato

Solomillo de cerdo
con frutas

Postre

Piña a
la emperatriz

INGREDIENTES (4 p.): • 1 kg de pechugas de pavo • $^1/_2$ kg de patatas • $^1/_2$ kg de setas • 2 cebolletas • 2 dientes de ajo • 2 hojas de laurel • 4 clavos • unas hebras de azafrán • pimienta molida • perejil picado • 1 vaso de vino blanco • 1 yema de huevo cocido • unas almendras • aceite de oliva y sal.

ELABORACIÓN

En una cazuela con aceite, rehoga el pavo troceado y salpimentado. Añade la cebolleta troceada y los ajos cortados en láminas. Condimenta con el laurel, el clavo y el azafrán.

Cuando la carne esté dorada, agrega las patatas peladas y troceadas. También incorpora las setas limpias y troceadas. Rehoga unos minutos, moja con el vino y cubre con agua.

Aparte, en un mortero machaca las almendras con la yema cocida, sal gorda y perejil. Vierte este majado en la cazuela para engordar la salsa. Deja cocer hasta que todo esté tierno (30 minutos a fuego lento). Sirve.

TIEMPO DE ELABORACIÓN: 35-40 MINUTOS

INGREDIENTES (4 p.): • 2 solomillos de cerdo • 300 g de frutas: piña, pera, etcétera • 2 plátanos • 2 dientes de ajo • 2 placas de lasaña cocidas • 50 g de mantequilla • pan rallado • sal y pimienta • unas ramitas de perejil • aceite de oliva.

ELABORACIÓN

En primer lugar, limpia bien el solomillo de grasas y telillas. Filetéalo y salpimenta. Pasa los filetes por pan rallado y fríelos en una sartén con un chorrito de aceite y 2 dientes de ajo enteros. Reserva.

En una cazuela con mantequilla, rehoga los plátanos pelados y troceados. Añade la piña y la pera troceadas. Deja hacer unos minutos.

Sirve las tajadas de solomillo con las frutas y acompañadas por las placas de lasaña cocidas, partidas por la mitad y fritas con una ramita de perejil.

TIEMPO DE ELABORACIÓN: 20-25 MINUTOS

INGREDIENTES (8-10 p.): • 1 piña • 3 cuch. de arroz • 1 l de leche • 6 cuch. de azúcar • $^1/_4$ de l de nata montada • 6 hojas de gelatina • 5 yemas de huevo • 1 copita de licor • 100 g de guindas • 1 ramita de vainilla • unas hojas de menta.

ELABORACIÓN

Cuece el arroz en la leche (reserva un poco) aromatizada con la vainilla durante 30-45 minutos.

Después de cocido retira del fuego y agrega el azúcar. Añade las guindas y el licor. Incorpora también las yemas batidas y la gelatina puesta previamente a remojo en agua fría y deshecha en un poco de leche caliente. Deja enfriar y agrega la nata montada. Mézclalo todo bien y echa este preparado en un molde tipo corona. Déjalo cuajar en la nevera (tardará de 3 a 5 horas).

Una vez cuajado desmóldalo y rellena con la piña troceada.

Decóralo con unas hojas de menta y sirve.

TIEMPO DE ELABORACIÓN: 55-60 MINUTOS, MÁS EL ENFRIAMIENTO

MENÚ 15

Primer plato

Judías blancas con oreja de cerdo

Segundo plato

Albóndigas de patata y carne

Postre

Naranjas rellenas

INGREDIENTES (4-6 p.): • 600 g de judías blancas • 1 oreja de cerdo • 150 g de chorizo • 1 cebolla • 2 dientes de ajo • 1 huevo cocido • 1 cuch. de pimentón picante • unas guindillas en vinagre • una pizca de tomillo • aceite de oliva • agua y sal.

ELABORACIÓN

Pon las judías a remojo la víspera. A la hora de prepararlas, escúrrelas, ponlas en una cazuela y cúbrelas con agua fría. Agrega la oreja de cerdo, bien limpia y troceada. Añade el chorizo, pon a punto de sal y deja cocer, a fuego lento, durante una hora o hora y media.

Si lo haces en olla a presión, tardará entre 15-20 minutos.

Cuando esté todo bien cocido, espolvorea con tomillo.

Aparte, en una sartén con aceite, prepara un refrito con la cebolla y el ajo bien picaditos. Retira del fuego, incorpora el pimentón y rehoga. Agrega el huevo picado y revuelve.

Echa este refrito sobre el cocido y mezcla bien. Listo para servir.

Puedes acompañar este plato con las guindillas aliñadas con sal gorda y un chorrito de aceite de oliva.

TIEMPO DE ELABORACIÓN: 1 HORA Y 50 MINUTOS

INGREDIENTES (4 p.): • $^1/_4$ de kg de patatas • 400 g de carne picada • 1 huevo • 1 pimiento verde • 4 dientes de ajo • harina • huevo batido • pan rallado • aceite de oliva • sal y pimienta • agua • $^1/_2$ l de salsa de tomate o española.

ELABORACIÓN

Cuece las patatas en agua con sal. Deja enfriar, pélalas y haz con ellas un puré espeso pasándolas por el pasapuré.

En un bol, mezcla el pimiento y 2 dientes de ajo picaditos, así como el pan rallado, la carne salpimentada y un huevo. Mézclalo todo bien. Agrega al puré y vuelve a mezclar con fundamento.

Haz pelotitas con la masa, rebózalas en harina y huevo y fríelas en abundante aceite no muy caliente junto con 2 dientes de ajo sin pelar. Cuando estén doraditas añádeselas a la cazuela con salsa de tomate o española y deja que se hagan entre 10 y 15 minutos a fuego lento.

TIEMPO DE ELABORACIÓN: 35-40 MINUTOS

INGREDIENTES (6 p.): • 6 naranjas hermosas • 4 claras de huevo • 400 ml de leche • 8 cuch. de azúcar • 3 cuch. de harina • licor de naranja • 3 cucharaditas de mermelada de naranja • unas frambuesas y menta.

ELABORACIÓN

Corta la parte superior de las naranjas, como si fuera una boina, y vacíalas.

En un cazo, mezcla bien la harina con 6 cucharadas de azúcar. Añade el licor y la leche poco a poco y sin parar de remover evitando que se formen grumos. Agrega también la tapa de corteza rallada.

Calienta esta mezcla a fuego suave hasta que espese. Retira del fuego y deja templar.

Monta las claras a punto de nieve con la crema anterior.

Rellena, hasta sus $^3/_4$ partes, las naranjas con este preparado y hornéalas a horno medio durante 10 minutos.

Mientras, calienta la pulpa de las naranjas con el resto del azúcar a fuego suave durante unos 15 minutos con un chorrito de licor. A continuación, pásalo por un chino y agrégale 3 cucharaditas de mermelada. Sirve las naranjas con esta salsa y decora con unas frambuesas y menta.

TIEMPO DE ELABORACIÓN: 45-50 MINUTOS

MENÚ 16

Primer plato

Ensalada de legumbres maceradas

Segundo plato

Cordero a la sevillana

Postre

Plátanos con naranja al horno

INGREDIENTES (4 p.): • 500 g de legumbres cocidas (alubias y garbanzos) • 100 g de jamón serrano • 1 huevo cocido • 2 remolachas cocidas • 1 tomate • 1 endibia • 1 cebolleta • un trozo de pimiento verde • 1 plátano • perejil picado • $^1/_4$ de vaso de vinagre • aceite de oliva y sal gorda.

ELABORACIÓN

Para preparar una vinagreta, en un bol hermoso echa el tomate pelado, el pimiento verde, el huevo cocido, todo picado, sal gorda, perejil picado, medio vaso de aceite de oliva y una cuarta parte de un vaso de vinagre. Mezcla bien e introduce las legumbres cocidas. Déjalas macerando unos 5 minutos.

Coloca las hojas de endibia, bien limpias, en la vuelta de una fuente y la remolacha en rodajas intercalada. En el centro añade las legumbres escurridas. Aliña la ensalada con el jugo de la maceración.

En una sartén con aceite, saltea el jamón en lonchas. Decora con ellas la ensalada. Por último, añade el plátano frito y la cebolleta en juliana. Espolvorea con perejil y sirve.

INGREDIENTES (4 p.): • 1 kg de cordero (troceado) • 300 g de champiñones • 8 dientes de ajo • 1 vaso de vino de jerez • 1 vaso de vino blanco • perejil picado • aceite de oliva • agua y sal.

ELABORACIÓN

En una tartera con aceite y 3 dientes de ajo, cortados en láminas, rehoga el cordero sazonado. Cuando esté doradito, moja con el jerez y un poco de agua y deja cocer a fuego lento 20 minutos.

En una cazuela con aceite, pon a dorar 5 dientes de ajo muy picaditos. Cuando comiencen a dorarse, añade los champiñones bien limpios. Rehoga unos minutos y agrégales el vino blanco. Pon a punto de sal y deja que se guisen durante 20 minutos.

Espolvorea con perejil picado, tanto el cordero como los champiñones. Vierte estos últimos sobre el cordero, mezcla bien y sirve. Si la salsa queda muy líquida puedes engordarla con harina de maíz diluida en agua.

TIEMPO DE ELABORACIÓN: 35-40 MINUTOS

INGREDIENTES (4 p.): • 8 plátanos • 1 naranja • 1 limón • 6 nueces de mantequilla • 4 cuch. de azúcar • 3 cuch. de vino dulce • 1 copita de brandy • nata montada para decorar • canela en polvo.

ELABORACIÓN

Pela los plátanos y colócalos en una fuente de horno. Espolvorea con el azúcar y añade la mantequilla y el vino dulce. Mójalo con el zumo de la naranja y del limón. Hornea durante 8 o 10 minutos a 160 grados. Cuando los plátanos estén hechos, espolvorea con canela. Flambea el brandy, que habrás calentado previamente y échalo sobre los plátanos.

Acompaña este postre con nata montada y espolvoreada con canela.

MENÚ 17

Primer plato

Ensalada de
verduras, vieiras
y bacalao

Segundo plato

Chuletas rellenas
con salsa de paté

Postre

Rosquillas fritas

INGREDIENTES (4 p.): • 3 cebolletas • $^1/_2$ berenjena • 1 pimiento rojo • 1 tomate • 8 vieiras • 400 g de bacalao desalado • aceite de oliva • sal y pimienta • vinagre de jerez • perejil picado.

ELABORACIÓN

Corta en tiras la cebolleta y el pimiento. Póchalos en una sartén con un chorrito de aceite. Una vez pochados, escurre y extiéndelos en una fuente o plato grande. Encima, pon el bacalao en láminas y unos gajos de tomate.

Aparte, corta la berenjena en rodajas no muy gruesas y fríelas en aceite bien caliente. Escurre y colócalas en el centro de la ensalada.

Trocea las vieiras, salpimenta y saltéalas en una sartén con un poquito de aceite, espolvoréalas con perejil picado y viértelas encima de la ensalada.

Por último, aliña todo con sal, vinagre de jerez y aceite de oliva. Listo para presentar en la mesa.

TIEMPO DE ELABORACIÓN: 25-30 MINUTOS

INGREDIENTES (4 p.): • 4 chuletas de cerdo gruesas • 4 lonchas de jamón serrano • 4 pimientos del piquillo • pan rallado • 1 cebolleta • 2 patatas • 1 pimiento verde • 2 dientes de ajo • sal y pimienta • aceite de oliva. PARA LA SALSA DE PATÉ: • 70 g de paté • 1 vaso de caldo de carne • 1 vaso de nata líquida.

ELABORACIÓN

En una cazuela, pon el caldo, la nata y el paté y deja reducir removiendo hasta que espese.

Abre la chuleta por la mitad e introduce una loncha de jamón y un pimiento. Salpimenta.

En una sartén con aceite, fríe las chuletas, que habrás pasado por pan rallado, con 2 dientes de ajo enteros.

En otra sartén, saltea las patatas peladas y troceadas, el pimiento verde cortado en tiras y la cebolleta picada hasta que esté todo bien pochado. Sazona.

En una fuente sirve las chuletas y como guarnición la patata con pimiento y cebolla. Salsea con la salsa de paté y sirve.

TIEMPO DE ELABORACIÓN: 25-30 MINUTOS

INGREDIENTES (6-8 p.): • 1 taza de leche • $^1/_2$ taza de aceite • una corteza de naranja • $^1/_2$ taza de anís • $^1/_2$ taza de azúcar • 1 huevo • 1 sobre de levadura • harina (la que admita) • aceite de oliva para freír • azúcar con canela en polvo para adornar.

ELABORACIÓN

Hierve la leche con el aceite, el anís y la corteza de naranja.

Después, añade el azúcar y deja templar.

En un bol, pon 2 tazas de harina junto con la levadura y ve incorporando la leche templada con el resto de los ingredientes, más el huevo batido. Cuando esté todo bien mezclado, añade más harina, poco a poco, hasta que la masa quede bien dura. Vete dándole forma de rosquillas y fríelas en abundante aceite, no muy caliente (resulta mejor el de 0,4).

Por último, sirve las rosquillas y espolvoréalas con azúcar mezclada con canela en polvo.

TIEMPO DE ELABORACIÓN: 55-60 MINUTOS

MENÚ 18

Primer plato

Cóctel de legumbres con pollo

Segundo plato

Bacalao con ciruelas pasas

Postre

Copa de espuma con requesón

INGREDIENTES (4 p.): • 350 g de legumbres cocidas (lentejas, alubias blancas, garbanzos) • 300 g de pechuga de pollo • 2 endibias • ¹/₂ lechuga (normal y morada) • 1 diente de ajo • aceite de oliva • vinagre • sal y pimienta.

ELABORACIÓN

En el extremo de una fuente, coloca las hojas de lechuga bien limpias y cortadas en juliana. En el otro extremo, coloca las hojas de la lechuga morada. En el borde, sitúa las hojas de las endibias. Añade por encima las legumbres cocidas y frías·(separa alubias, lentejas y garbanzos). Aliña con sal, vinagre y aceite de oliva.

Parte las pechugas en tiras, salpimenta y fríelas en una sartén con un chorrito de aceite y 1 ajo picadito. Espolvorea con perejil picado y coloca el pollo frito sobre las legumbres. Sirve rápidamente para que no se enfríe el pollo.

INGREDIENTES (4 p.): • 8 lomos de bacalao desalado • 12 ciruelas pasas • 2 ce-bolletas • una pizca de azafrán • 1 cuch. de harina • huevo batido y harina para re-bozar • 2 dientes de ajo • 1 vaso de caldo de verduras • perejil picado • aceite de oliva • sal.

ELABORACIÓN

En una tartera con aceite, pocha las cebolletas picaditas y los ajos también pica-dos. Agrega la harina y rehoga. Seguidamente, incorpora el azafrán y moja con el caldo. Remueve y deja reducir unos minutos.

Añade las ciruelas pasas, que habrás remojado en agua durante 2 horas.

Aparte, reboza las tajadas de bacalao en harina y huevo batido. Fríelas en una sar-tén con aceite caliente. Escúrrelas y añádeselas a la tartera con la salsa. Pon a fue-go lento durante 5 minutos, rectifica de sal, espolvorea con perejil picado y sirve.

INGREDIENTES (4 p.): • 2 yogures naturales • $^1/_2$ kg de requesón fresco • 4 cuch. de miel • 4 claras montadas • corteza de limón • canela en polvo y en rama.

ELABORACIÓN

Para la realización de este postre frío comienza mezclando bien en un bol los yogures con el requesón, la miel, la ralladura de limón y la canela. Con la ayuda de una batidora, bate bien y después pásalo por un chino.

Aparte, monta 4 claras de huevo con azúcar a punto de nieve. Terminada esta operación, agrega con cuidado las claras montadas y la mezcla de yogures con requesón. Reparte la espuma en copas de postre y deja enfriar en el frigorífico.

Adorna con tiritas de limón, una pizca de canela en polvo y en rama. Listo para servir.

TIEMPO DE ELABORACIÓN: 20 MINUTOS

MENÚ 19

Primer plato

Sopa kanala

Segundo plato

Codillo cocido con pasta

Postre

Piña rellena

INGREDIENTES (4 p.): • ¹/₂ kg de almejas • ¹/₂ barra pequeña de pan • 1,5 l de caldo de gallina • 4 dientes de ajo • perejil picado • aceite de oliva y sal.

ELABORACIÓN

En una cazuela, echa un chorro de aceite de oliva y añade el ajo picado dejando que se ponga rubio. Agrega el pan desmenuzado (mejor de la víspera) y sofríelo. Cuando el pan esté un poco dorado, vierte el caldo, espolvorea con perejil y pon a punto de sal. Deja hervir durante una hora a fuego lento y si el pan no se ha deshecho del todo, rómpelo con una varilla para que ligue bien el caldo.
Por último, incorpora las almejas y dale un hervor para que se abran. Sirve.

TIEMPO DE ELABORACIÓN: 75 MINUTOS

INGREDIENTES (4 p.): • 800 g de codillo de cerdo • 3 hojas de laurel • 2 zanahorias • 2 cebollas • 2 dientes de ajo • 200 g de pasta cocida (nidos de espinacas) • 4 lonchas de bacon • agua y sal • aceite de oliva.

ELABORACIÓN

En una cazuela con agua y sal, cuece el codillo junto al laurel, las zanahorias, las cebollas cortadas en juliana y los ajos. Estará cociendo 2 horas si es en cazuela o 30 minutos si es en olla a presión.

Una vez cocido el codillo, escúrrelo y separa la carne de los huesos, retirando la grasa.

Cuece la pasta en agua hirviendo con sal y un chorrito de aceite. Cuando esté al dente, escúrrela y reserva.

En una sartén con un poco de aceite, rehoga el bacon cortado en tiras. Añade la carne de los codillos y saltea.

Por último, agrega la pasta, rehoga unos minutos y listo para servir.

El codillo se puede comprar ya cocido.

TIEMPO DE ELABORACIÓN: 20-25 MINUTOS,
COMPRANDO EL CODILLO COCIDO

INGREDIENTES (6-8 p.): • 1 piña • 1 copita de brandy • 150 g de turrón blando • 3 claras • azúcar • 8 bizcochos.

ELABORACIÓN

Monta las clara a punto de nieve y cuando estén casi listas, añade el azúcar al gusto.
Abre la piña por la mitad a lo largo y retira la parte central.
Vacíala lo más entera posible y trocea la pulpa.
Coloca los bizcochos troceados en la piña ya vacía y mójalos con el brandy. Coloca encima el turrón en laminitas y, por último, pon los trozos de piña. Tapa con las claras montadas y gratina durante 1 minuto aproximadamente.

TIEMPO DE ELABORACIÓN: 25-30 MINUTOS

MENÚ 20

Primer plato

Arroz integral con verduras

Segundo plato

Muslos de pavo con menestra

Postre

Polvorones

INGREDIENTES (4 p.): • 300 g de arroz integral • 3 zanahorias • 3 champiñones • $^1/_2$ pimiento rojo • 1 cebolla • 100 g de guisantes desgranados • 4 alcachofas cocidas • 1 l de agua (aprox.) • aceite de oliva y sal.

ELABORACIÓN

Limpia, pica las verduras y rehógalas, excepto las alcachofas, con un poco de aceite y sal en una cazuela. Añade el arroz y vuelve a rehogar. Moja con el agua (triple medida que de arroz), pon a punto de sal y déjalo cocer unos 35 minutos, hasta que el arroz esté hecho.
Por último, añade las alcachofas, cocidas y cortadas en cuartos. Sirve.

INGREDIENTES (4 p.): • 4 muslos de pavo de ración • 4 alcachofas • 2 zanahorias • 2 patatas • 4 espárragos en conserva • 150 g de guisantes cocidos • 3 dientes de ajo • 1 vaso de vino blanco • 2 cuch. de harina • 1 limón • aceite de oliva • sal y pimienta • perejil picado • agua.

ELABORACIÓN

En una cazuela con aceite, rehoga el ajo troceado y los muslos de pavo salpimentados. Cuando estén bien dorados, agrega la harina y rehógala unos minutos. Moja con el vino removiendo bien y cubre con agua.

Añade las alcachofas limpias, untadas con limón y cortadas en cuatro trozos. Agrega también la zanahoria pelada y troceada. Deja cocer a fuego lento 30 minutos. Seguidamente, echa los guisantes y las patatas peladas y troceadas, que previamente habrás frito en una sartén con aceite.

Espolvorea con perejil picado, añade los espárragos, pon a punto de sal y sirve.

INGREDIENTES (unos 45 polvorones): • 400 g de harina (ligeramente tostada) • 200 g de manteca de cerdo • 150 g de azúcar glas • 1 chorrito de anís • 1 pizca de canela en polvo. PARA DECORAR: • azúcar glas.

ELABORACIÓN

Para tostar la harina calienta el horno a temperatura suave, 150 grados. Pon la harina en una bandeja y tuéstala ligeramente en el horno sin que llegue a dorarse. Retira y deja enfriar.

En un bol, echa la harina con el azúcar, la canela, el anís y la manteca de cerdo blandita. Mezcla con la manos y sigue trabajando esta masa sobre una encimera hasta que todos los ingredientes estén bien unidos.

Vete dando forma a los polvorones y colócalos en una placa de horno cubierta con papel antiadherente. Hornea a 150 grados durante 10-15 minutos. Déjalos enfriar y sirve estos polvorones con azúcar glas.

MENÚ 21

Primer plato

Sopa de cebolla
con almejas

Segundo plato

Cordero guisado

Postre

Naranjas nevadas

INGREDIENTES (4 p.): • 1,5 l de caldo de verduras o ave • 3 cebollas • 300 g de almejas • 6-8 rebanadas de pan tostado • 3 dientes de ajo • perejil picado • aceite de oliva • sal.

ELABORACIÓN

Echa la cebolla, cortada en tiras finas, en una cazuela con aceite de oliva y póchala hasta que coja color dorado. Añade luego el caldo y deja reducir 15 minutos, a fuego no muy fuerte, con los panes tostados y untados con ajo. Prueba la sopa y ponla a punto de sal.

Abre las almejas salteándolas en una sartén con aceite y 2 dientes de ajo picados. Sirve la sopa en una cazuela de barro y vierte encima las almejas abiertas espolvoreadas con perejil picado.

TIEMPO DE ELABORACIÓN: 25-30 MINUTOS

INGREDIENTES (4 p.): • 1,5 kg de cordero • 200 g de guisantes cocidos • 3 patatas • 1 cebolleta • 2 dientes de ajo • 1 vaso de salsa de tomate • 1 cuch. de harina • caldo de verduras • aceite de oliva • sal • perejil picado.

ELABORACIÓN

Pela las patatas, córtalas en dados y fríelas en una sartén con abundante aceite caliente.

Parte en trozos el cordero, sazona y dóralo en una cazuela con aceite junto con los ajos enteros con piel. Después, echa la cebolleta bien picada. Cuando empiece a pocharse la verdura agrega la harina, rehoga y moja con el caldo hasta cubrir. Seguidamente, echa la salsa de tomate.

Cocina durante 30 minutos, hasta que el cordero quede tierno.

A continuación, agrega las patatas fritas y los guisantes cocidos. Espolvorea con perejil picado y deja cocer durante 5 minutos. Sirve.

TIEMPO DE ELABORACIÓN: 40-45 MINUTOS

INGREDIENTES (4 p.): • 2 o 3 naranjas • $^1/_2$ bote de mermelada de melocotón • 1 copita de brandy • 200 g de helado de nata • 4 cuch. de mermelada de fresa, grosella o frambuesa.

ELABORACIÓN

Pela las naranjas y córtalas en gajos.

Coloca la mermelada de melocotón en un plato, pon encima los gajos de naranja y rocía con el brandy (si te sobra algún trozo de naranja, aprovecha su zumo para rociar por encima).

Decora el postre con unos trozos de helado y unas cucharadas de mermelada de fresa por encima.

TIEMPO DE ELABORACIÓN: 15-20 MINUTOS

MENÚ 22

Primer plato

Arroz
para novios

Segundo plato

Cordero asado
en fritada

Postre

Tarta de
frutas pasas

INGREDIENTES (4 p.): • 300 g de carne de cordero (sin hueso) • 300 g de arroz • 2 cebolletas • ¹/₂ pimiento morrón • 8 champiñones • 100 g de guisantes desgranados y cocidos • 1 diente de ajo • unas hebras de azafrán • ¹/₂ limón y ¹/₂ naranja • sal y pimienta • aceite de oliva • agua.

ELABORACIÓN

En una tartera con aceite, rehoga las cebolletas, el pimiento rojo y el ajo, todo picadito. Cuando esté rehogado, añade los champiñones limpios y troceados.

Corta la carne en trozos pequeños, salpimenta y agrega a la cazuela.

Cuando la carne esté doradita, incorpora el azafrán y el arroz. Rehoga unos minutos y échale doble cantidad y un poquito más de agua que de arroz. Sazona y deja cocer durante 15 minutos.

Transcurrido este tiempo, añade los guisantes cocidos y deja reposar 5 minutos tapando la cazuela con un paño.

Parte la naranja y el limón en medias rodajas, decora con ellas la tartaleta y sirve.

INGREDIENTES (4 p.): • 1 kg de cordero (en trozos grandes) • 3 dientes de ajo • 1 cuch. de vinagre • aceite de oliva • sal y pimienta • un poco de agua • 250 g de frutas secas: orejones, pasas y ciruelas pasas. PARA LA FRITADA: • 4 dientes de ajo • 2 cebollas • 1 pimiento rojo • 1 tomate • 1 cuch. de puré de pimiento choricero • aceite y sal.

ELABORACIÓN

Pela y machaca los ajos en un mortero. Agrega sal y vinagre.

Salpimenta el cordero y colócalo en una placa de horno. Añádele un chorro de aceite y el majado del mortero con un chorro de agua, mételo al horno durante una hora y cuarto a una temperatura de 180 grados. Durante el asado, si ves que se seca, puedes añadirle un poco de agua.

Prepara una fritada salteando, en una sartén con aceite, la verdura troceada. Sazona, deja pochar a fuego suave entre 10 y 12 minutos y agrégale el puré del choricero.

Saca el cordero del horno y trocéalo. Vierte la salsa del cordero en la fritada.

Sirve el cordero acompañado de la fritada y un salteado de las frutas secas (los orejones previamente puestos a remojo en agua).

TIEMPO DE ELABORACIÓN: 75-90 MINUTOS

INGREDIENTES (4-6 p.): • ¹/₂ l de nata líquida • 3 huevos • 4 cuch. de azúcar • un chorrito de brandy • 200 g de pasta quebrada • Frutas pasas (8 orejones de melocotón, 8 higos secos, un puñado de pasas) • mermelada de melocotón • azúcar glas.

ELABORACIÓN

Estira la pasta quebrada muy fina con un rodillo y colócala sobre un molde.

Hornea a 175 grados unos 30 minutos, hasta que la pasta esté tostada como una galleta. Mientras, macera las frutas pasas en el brandy, moviendo de vez en cuando para que todas se impregnen bien.

Aparte, en un bol, bate ligeramente los huevos con el azúcar, cuidando de que no monten. Después, añade la nata y mézclalo todo bien.

Sobre la tartaleta, previamente horneada, coloca las frutas pasas troceadas y cubre con la mezcla de nata y huevos.

Vuelve a hornear otros 30 minutos aproximadamente a 175 grados hasta que la tarta esté cuajada.

Una vez horneada, deja enfriar y desmolda.

Por último, dale brillo con mermelada aligerada con un poco de agua o brandy.

TIEMPO DE ELABORACIÓN: 60-70 MINUTOS, MÁS EL ENFRIAMIENTO

MENÚ 23

Primer plato

Alubias
con calabaza
y cola de cerdo

Segundo plato

Faneca con
salsa romesco

Postre

Filloas

INGREDIENTES (4 p.): • 400 g de alubias rojas • 300 g de calabaza roja • 2 rabos de cerdo • 1 pimiento verde • 2 puerros • 1 zanahoria • 5 dientes de ajo • aceite de oliva • perejil picado • sal y agua.

ELABORACIÓN

Las alubias debes dejarlas en remojo la víspera.

Pon las alubias escurridas en una olla a presión junto con 2 dientes de ajo, las verduras picadas, el rabo de cerdo troceado y un chorro de aceite. Cubre con agua fría, tapa la olla y deja cocer unos 15-20 minutos aproximadamente.

Aparte, en una sartén con aceite, saltea la calabaza pelada y cortada en dados. Añade también 3 dientes de ajo picaditos y perejil picado, vierte este salteado sobre las alubias y mezcla bien. Pon a punto de sal y sirve.

TIEMPO DE ELABORACIÓN: 30 MINUTOS

INGREDIENTES (4 p.): • 4 fanecas de ración • 2 pimientos verdes • aceite y sal.
PARA LA SALSA ROMESCO: • 3 ñoras secas • 1 guindilla • 1 tomate asado • 3 dientes
de ajo • un puñado de almendras tostadas • un puñado de avellanas tostadas • perejil picado • 1 rebanada de pan frito • aceite de oliva, vinagre y sal.

ELABORACIÓN

Limpia la faneca, filetéala y sazona.
Maja en un mortero el ajo pelado y troceado, la guindilla, los frutos secos y el pan.
Pela y despepita el tomate. Trocéalo y májalo junto al resto de ingredientes en el
mortero. Agrega la carne de la ñoras, remojadas en agua templada durante 2 ho-
ras. Añade vinagre y 2 o 3 cucharadas de aceite y sal al gusto. Espolvorea con pe-
rejil picado y mezcla todo bien en el mortero.
Fríe la faneca a la plancha con un poquito de aceite.
Aparte, en una sartén con aceite, fríe el pimiento verde cortado en aros.
Sirve los filetes de faneca con los aros del pimiento fritos y la salsa de romesco.

TIEMPO DE ELABORACIÓN: 25-30 MINUTOS

INGREDIENTES (5 o 6 obleas): • 3 huevos • 50 g de harina • 50 g de mantequilla • $^1/_2$ vaso de leche • azúcar glas • canela en polvo.

ELABORACIÓN

Bate los huevos y añade la harina, la mantequilla y la leche, mezclándolo todo bien con la ayuda de una batidora. Engrasa una sartén con un poco de mantequilla y añade 1 o 2 cucharadas de la mezcla. Fríelo como una tortilla, cuanto más fina mejor, dándole la vuelta para que se dore por los dos lados. Sirve las filloas dobladas o en rollos, espolvoreadas con azúcar glas y canela.
Las puedes rellenar con puré de plátano y acompañar con chocolate derretido.

TIEMPO DE ELABORACIÓN: 25-30 MINUTOS

MENÚ 24

Primer plato

Ensalada de
garbanzos
y espinacas

Segundo plato

Carrilleras de
ternera con jamón
gratinadas

Postre

Turrón casero

INGREDIENTES (4 p.): • 250 g de garbanzos cocidos y pelados • 100 g de espinacas • 3 zanahorias cocidas • 2 pimientos rojos asados y pelados • 50 g de brotes de soja cocidos • 1 cebolleta • 8 filetes de anchoa en aceite • agua y sal. PARA LA VINAGRETA: • 1 cucharadita de mostaza • 8 cuch. de aceite de oliva • 3 cuch. de vinagre • sal gorda • perejil picado.

ELABORACIÓN

Limpia bien las espinacas y cuécelas en agua hirviendo con sal durante 2-3 minutos. En un bol, mezcla los pimientos cortados en tiras y la soja. Sazona y coloca esta mezcla en el centro de una fuente. En toda la vuelta de la fuente pon las espinacas escurridas y mezcladas con los garbanzos.

Decora con las anchoas y la zanahoria troceada. Pica la cebolleta en juliana y añádesela a la ensalada.

Por último, en un bol, mezcla todos los ingredientes de la vinagreta, aliña la ensalada, sazona y sirve.

INGREDIENTES (4 p.): • 800 g de carrilleras • 200 g de jamón serrano (tacos) • 1 cebolleta • 1 puerro • 1 pimiento verde • 10 granos de pimienta negra • 1 patata • un puñado de queso graso rallado • 2 dientes de ajo • aceite de oliva • sal y agua • unas verduras para cocer las carrilleras (puerros, zanahorias...).

ELABORACIÓN

Limpia las carrilleras y quita los nervios y grasas. Colócalas en la cazuela junto con las verduras, cubre con agua y sazona. Deja cocer a fuego lento hasta que estén tiernas. Reserva el caldo.

En una tartera con aceite, rehoga la cebolleta, el puerro, el pimiento y los dientes de ajo, todo bien picadito. Agrega la sal y unos granos de pimienta. Añade la patata cortada en láminas finas y unos tacos de jamón. Moja con un vaso de caldo de cocer las carrilleras y déjalo cocer por espacio de 10-12 minutos.

Corta las carrilleras en rodajas y colócalas en la tartera encima de las patatas. Espolvorea con queso rallado y gratina en el horno durante 2-3 minutos.

En el momento de servirlas, si quieres salsa, retira unas láminas de patatas de la tartera y aplástalas mojando con un poco de caldo de cocer las carrilleras.

**TIEMPO DE ELABORACIÓN: 30-35 MINUTOS,
SI LAS CARRILLERAS SE CUECEN EL DÍA ANTERIOR**

INGREDIENTES: • 200 g de almendras tostadas y peladas • 200 g de nueces peladas • 200 g de cacahuetes pelados • 400 g de miel • 300 g de frutas escarchadas.

ELABORACIÓN

En una picadora echa los frutos secos picados (puedes comprarlos ya picados o picarlos por separado en la picadora) y tritúralos junto con las frutas troceadas. A continuación, añade la miel y mézclalo todo muy bien.

Vierte este preparado en un molde tipo pudín forrado con papel transparente que sobresalga. Aplasta con un cuchara y cubre con el plástico sobrante. Tapa con otro molde encajándolo y coloca un peso encima a modo de prensa.

Transcurridas de 24 a 48 horas retira el plástico y sirve. Puedes decorar este turrón casero con unas fresas.

TIEMPO DE ELABORACIÓN: 20-25 MINUTOS, MÁS EL REPOSO

MENÚ 25

Primer plato

Guiso
de temporada

Segundo plato

Costillas de cerdo
con castañas

Postre

Bienmellevo

INGREDIENTES (4 p.): • 600 g de carne (zancarrón) • 12 zanahorias torneadas • 12 patatitas torneadas • 150 g de guisantes frescos (desgranados) • 1 cebolla • 12 champiñones • harina • 1 vaso de vino blanco • aceite de oliva • sal y pimienta • perejil picado • agua.

ELABORACIÓN

En una cazuela con un chorro de aceite, pocha la cebolla picada. Añade los champiñones limpios y cortados en cuatro partes. Agrega las patatas y las zanahorias torneadas.

Trocea la carne, salpimenta y pásala por harina. En una sartén con un chorro de aceite, fríe los trozos de carne. Cuando esté dorada, agrégasela a la cazuela. Echa también el vino blanco y cubre con agua. Deja cocer a fuego lento durante 25 minutos. Transcurrido este tiempo, agrega los guisantes y deja que cueza todo otros 5 minutos si son cocidos y 20 si son frescos. Pon a punto de sal, espolvorea con perejil picado y sirve.

TIEMPO DE ELABORACIÓN: 50-60 MINUTOS

INGREDIENTES (4 p.): • 1,5 kg de costillas de cerdo • 300 g de castañas peladas • 50 g de mantequilla • 1 vaso de caldo • $^1/_2$ cucharadita de laurel molido • $^1/_2$ cucharadita de tomillo • $^1/_2$ cucharadita de orégano • perejil picado • agua, aceite de oliva y sal. **PARA ACOMPAÑAR:** • mermelada de naranjas amargas.

ELABORACIÓN

En primer lugar, mezcla en un bol las hierbas aromáticas con el aceite. Coloca las costillas de cerdo, sazonadas, en una placa de horno y cúbrelas con la mezcla de hierbas y aceite. Riega con el caldo y hornea a 190 grados durante 30 minutos, vigilando que no se sequen. Si es necesario añade más caldo.

Aparte, en una cazuela, calienta agua con sal y añade las castañas cuando rompa a hervir. Deja cocer durante 30 minutos. A continuación, escurre y déjalas enfriar. En una sartén con una nuez de mantequilla, saltea las castañas peladas y las espolvorea con perejil picado.

Retira el costillar del horno y trocéalo.

Para servir, acompaña las costillas con las castañas salteadas. También puedes ofrecer una mermelada de naranjas amargas como acompañamiento.

TIEMPO DE ELABORACIÓN: 40-50 MINUTOS

INGREDIENTES (4-6 p.): • 2 naranjas • 2 o 3 plátanos • 200 g de crema pastelera • 1 plancha de bizcocho • almendras fileteadas • 300 g de chocolate hecho • canela molida.

ELABORACIÓN

Coloca el bizcocho en un plato y extiende sobre él la crema pastelera.

Pela las naranjas y los plátanos y pártelo todo en rodajas. Coloca éstas sobre la crema pastelera. Por último, extiende encima el chocolate hecho (ya frío) y espolvorea con las almendras y la canela en polvo.

TIEMPO DE ELABORACIÓN: 15-20 MINUTOS

ÍNDICES

POR PLATOS
GENERAL

PRIMEROS PLATOS

POSTRES

ÍNDICE GENERAL